少年文学再考

講談社文化を中心に

想田 正

展望社

少年文学再考――講談社文化を中心に●目次

第一章　少年文学再考——その可能性を探る

第三章　再現された世界の名作――《世界名作全集》の魅力

少年文学再考

――講談社文化を中心に

第一章　少年文学再考——その可能性を探る

文中、敬称は略させていただいた。

「少年文学」という言葉が聞かれなくなって久しい。「児童文学」は依然盛んであるのに、その重要な一分野でありながら、提供する側＝出版界、求める側＝読者層、そして研究する側＝研究界のいずれにおいても、その比率は薄弱で見出すことが難しい。じっさいいま現在、少年文学の代表的作家はだれか、作品は何かと問うたとき、ようやくサトウ・ハチロー、「少年探偵団」が挙げられる程度であろう。

少年文学の黄金期を飾った出版物としていまだに語り継がれるのは、一九一四～四五年に出された講談社の『少年倶楽部』である。昭和一桁世代にとって、それは少年時に切り離し難い娯楽教養体験であったことは、彼らの熱い語り口によって伝えられている。しかし、その代表として挙げられる山中峯太郎や佐藤紅録の名は、歴史上にとどめられても今日時代錯誤の感を否めない。

その『少年倶楽部』も廃刊となり、第二次大戦を経て少年雑誌は数多く輩出したが、それらを縫って存在したのは一九四六～一九六二年に出された『少年クラブ』であったといえよう。それは『少年倶楽部』がきわめた少年文学の真髄を受け継ぎつつ、新生日本に相応しい少年雑誌として再出発したものであった。その内容は総じて良質さと重厚さを保っていたことは、講談社の見識を表すものであった。筆者の過ごした年少時では、この雑誌に親しんだものである。

しかし日本が復興期から高度成長期に進展していくに伴い、読書環境は自ずと変化し、読者の嗜好も、またそれに応じた出版界も変わっていく。『少年クラブ』は佳品を少なからず産みつつも、やがて廃刊に追われていく。

ここから、いくつもの考察すべき事柄が生まれてくる。

・少年文学を軸とした少年雑誌はなぜ終焉したのか。また需要が失われた要因は何かであり、少年読者はどこにその代わりを求めていったか。（それに、少年たちの欲求は満たされているか。）

・複雑で閉塞された現況に即した少年文学は可能か。それはどう構築されるのか。

・少年文学の基軸となるものは何か。それは永遠性を保つものか。

・世界には少年文学の古典があり、そこに学ぶべき方法が得られるのではないか。

『少年クラブ』に親しんだ筆者としては、少年文学の魅力をいまに伝えたいと念じ、以上のような問題意識のもとに、以下、少年文学のかかえる課題を追っていきたいと思う。

論を進めるにあたっては、上笙一郎、根本正義、福田清人らの先行業績に負いながら進めていきたい。

少年文学の特質

まずはじめに少年文学とは何か、である。少年文学を包含した児童文学を、上笙一郎は〈子どもの成長に役立つ内容を、子どもの立場と視点に立ち、子どもの理解し得る立場で書いた文学〉と定義している（〈世界児童文学史〉『児童文学事典』）。そして少年少女文学を、福田清人は以下のように規定している（「少年少女文学」『子どもの本の事典』）。

まず対象年令であるが、「童話」が小学三、四年生以下の低学年であるのに対し、「少年少女文学」は小学五、六年生から中学生くらいまでの高学年層とみている。その要素は、前者がファンタジーが多い傾向であるのに対し、後者は少年少女を主人公とした物語性の多い現代小説を意味することが多い、とする。

そして少年文学の描く世界は、少年少女時代はなかば子どもで、なかば大人であることから、現実をふまえつつ、対象年令の心理・生理の要求するフィクション、サスペンスが求められる。また少女文学では、清純で感傷的な要素が濃厚であることから、かなり成人文学の一面に接近している、とする。

次に、このような性格を持つ少年少女文学のあるべき条件として、以下を掲げている。

①　テーマ・表現：これは著しく反逆的なもの、残虐なもの、性愛の露骨な描写は避ける、という節度・制約・健全さが要求される。それは未来に向かって向日的に生きるという、人生の本然的な要求に根ざすものである。

② 芸術性・教育性：これは少年少女の精神の健康な発達を念じ、理想主義的な人生の生き方や真・善・美をめざすものが望まれる。

③ 構成力・明快性：複雑で錯綜した構成や心理の解剖は避け、人物の性格描写や構成は明快にする。

④ 読書能力：文章表現は平明で、挿絵は必要な範囲にとどめる。

⑤ 興味性：娯楽的な要求に沿ったものを持たせる。

以上の条件を挙げたうえで少年少女文学は、成人文学における通俗文学と異なり、美を追求し、真実をみつめ、勇気を養い、正義を求める人間性を培うよすがとなることを念じたものである、とする。さらに少年小説は、現実に起こるフィクションを取り扱っていると同時に、冒険小説の要求を帯びることがある。それは少年少女には冒険やスリルを求める心があるためで、そこに力点を置いたジャンルが冒険小説であることを付記している。

以上のことをふまえ、本書ではひとまず少年文学を以下のように規定したい。すなわち少年文学は、ローティーンを対象として、未来を志向し、真善美をめざす現実主義的な内容をもつこと、その叙述・構成は明快かつ平明であること、そして娯楽性を伴ったものである、と。

少年文学の歴史

次に、児童文学の一分野たる少年文学は、わが国の児童文学史上ではどのあたりから始まり、どのような経路をたどったのか。この点を、主として再び上笙一郎〈世界児童文学史〉の記述に沿いながらたどっていく。

先の定義に従えば、前史的には平安時代の物語や絵巻物、室町時代の奈良絵本、そして『お伽草子』にまで遡るが、子どもを直接対象にしたものは、江戸時代に至って出現した〈赤本〉の昔話、合戦物語、笑い話になるとされる。

明治期

しかし本格的な児童文学の成立は明治期である。江戸期の所業資本とは異なる近代資本の投下によって児童ジャーナリズムが誕生した。このもとで創刊された『少年国』『少国民』『少年世界』といった児童雑誌に源流が求められる。

こうして芽生えた新たな児童文学には、博文館を軸とした巖谷小波のグループと女学雑誌社を軸とした巖本善治・若松賤子らのグループに大きく分けられる。この前者における小波が書いた『こがね丸』が大好評となり、彼は『少年世界』において空想的・説話的物語を大量に発表していったので、小波が通常、少年小説の祖とみられている（この作品が

第1編となる創作児童文学双書は、その名も〈少年文学叢書〉である）。しかるにその内容はといえば、『こがね丸』は仇討を主題とした文語体で、封建的な趣を呈したものだった。

これに対して第二の巖本・若松のグループは、キリスト教精神を基軸として、欧米の児童文学を移植し（若松の名訳『小公子』など）、創作も試みていた。そこには健康な児童人格の確認と賛美が認められたが、若松の早逝、巖本の転身により、このグループは弱体化した。

一方、小波グループのお伽噺作品は、半封建的な思想と生活に属していた当時の子どもらに歓迎され、この流れが以降の児童文学を席巻していくことになる。

大正期

大正期になると、軍事特需による経済的な安定のもと、近代的市民階層による大正デモクラシーと呼ばれる民主的な自由主義思想が児童文学にも及び、『赤い鳥』『金の星』などの創刊、近代的な童謡・童画そして童話が小川未明、浜田広介ら専門的作家の出現となった。しかしそれらは、説話的方法による童心賛美的な短編童話であり、写実的方法による市民派児童文学としての長篇少年少女小説は、まだ確立できなかったとされる。

その部分を形成したのは『日本少年』（実業之日本）、『少年倶楽部』（講談社）など大衆的な児童雑誌であり、吉川英治、佐藤紅緑らの手に汗握る長篇少年少女小説は、労働者階級の子どもらに熱狂的に受け入れられた。しかしこれらは、写実的な表現を装っているもののリアリズムの精神には遠いことから〈大衆児童文学〉と呼べるものであった。

昭和期

こうした大正期を過ぎ昭和期に入ると、世界的恐慌による労働者・農民の決起はプロレタリア文学運動を招来し、それは児童文学にも及び（「少年戦旗」や）無産者芸術連盟の機関誌などを舞台としたプロレタリア児童文学が誕生した。

しかし、芸術性より政治的宣伝性を優位させたプロレタリア児童文学の理論と運動は猛烈に弾圧された。やむなく書き手は、働く階級の子らの現実生活をリアリスティックに描くことで読者を目覚めさせようという〈生活童話〉という様式が生まれ、そこに坪田譲治らが出た。そうした弾圧のうえに国家は、子どもを戦力に仕立てるべく〈児童文化の国家統制〉として［児童読物改善ニ関スル指示要綱］を出し、日本少国民文化協会が組織され、児童文化は反ヒューマニズムの〈少国民文学〉として戦時一色となったのであった。

だが敗戦を期して、児童階層の児童文学は花開いて日本児童文学者協会が結成され、『赤とんぼ』『少年少女』の創刊や壺井栄、国分一太郎らを輩出したが、ほどなく戦後民主主義への反動から民主主義的な児童文学は力を失った。

こうしたなかで早稲田大学童話会（古田足日、鳥越信ら）は［少年文学の旗の下に］を提唱して、社会における子どもの現実問題をリアリズムの眼で抉ろうとし、また従来になかった〈面白さ〉をめざした『子どもと文学』（石井桃子、瀬田貞二、渡辺茂男ら）は、欧米風のファンタジーやナンセンス・テールを志向するという二つの流れが出現した。

かくて昭和三十年代後半は、リアリズム系統（山中恒、松谷みよ子、早船ちよら）とファンタジー路線（佐藤さとる、いぬいとみこ、神沢利子ら）とのそれぞれが高いレベルを達成した。

その後、高度成長の進化はメディアを変貌させ、活字からテレビ、週刊誌に媒体が進むなかで、マンガや劇画に子どもらを吸収していった。

しかしこの昭和後期には、マス・メディアに沿った風俗的内容の文章とマンガ的挿絵を付けた少年少女小説が出る一方、斉藤隆介、上野瞭、灰谷健次郎らによる感動的な作品が書かれるという二つの流れとなっている。

大衆的児童文学と芸術的児童文学

以上、少年文学の起点をたどるべく、児童文学の今日までの歩みを追ってみたが、このなかで児童文学の胚胎期は、既に二つの流れのあることをみた。一つは、博文館を軸とした巖谷小波のグループであり、もう一つは、女学雑誌社を軸とした巖本善治・若松賤子らのグループである。

日本の児童文学史におけるこの二つの流れは、様式としてはロマン主義とリアリズムのせめぎあいであったともいえよう。すなわち前者は、少年小説の祖とみなされるほど斯界を席巻していき、大正期には大衆的児童雑誌の創刊により大衆児童文学として隆盛をみた。

これにひきかえ後者は弱体化したものの、大正期には先述のように民主的な自由主義思想による児童文学となって現われたが、写実的方法による長篇少年少女小説は確立できなかった。

この二つの流れはまた、児童文学史上での〈大衆的児童文学〉と〈芸術的児童文学〉という二つの規定に該当しよう。この分類は、大人の文学における純文学に〈芸術的児童文学〉(純児童文学、文学的児童文学とも呼ばれる)をあて、また通俗文学に〈大衆的児童文学〉をあてはめたものとみてよかろう。

では、いま取り上げようとする少年文学や少女文学はどこに入れられるだろうか。既存の研究書をみると、同じ史家でも〈大衆的児童文学〉に入れたり、〈児童文学〉の別称ともしている。後者の見方は子どもの文学の総称であるが、児童文学には「少年と呼ばれる中学生を対象にした作品も含まれている」ゆえである(根本正義「児童文学論」)。しかしこの見方の前文には「一般的に児童文学といったときには芸術的児童文学を指す」とある。よって少年文学は〈芸術的児童文学〉に包含されるのだが、同じ史家が別の文献では大衆的児童文学（少年小説や少女小説）といっているのである〔根本正義「戦時下の少年小説」〈〈少年小説大系〉⑩『戦時下少年小説』〉解説〕〉。

このように一口に少年文学といっても、ジャンルがときに分かれるのは、その内容が実は幅広いものである、ということによろう。しかし歴史的には、その起点が先にみたように『少年世界』の巌谷小波におかれており、大正期を経た昭和前期に現われた『少年倶楽部』などの雑誌がそのエポックであったことから、少年文学は〈大衆児童文学〉と見なされてしかるべきであろう。

（ⅰ）大衆的児童文学の排斥

さて、大正期から昭和初期にかけて隆盛をみた少年文学の代表的雑誌『少年倶楽部』は、講談社の発行であった（以下、前出の根本正義「戦時下の少年小説」に負う）。この『少年倶楽部』を軸として花開いた〔講談社文化〕は、しかし昭和十三年に内務省から出された〔児童読物改善ニ関スル指示要綱〕により思わぬ攻撃にあう。

すなわち、要綱のまず〔廃止スベキ事項〕の八項に、〈内容の野卑、陰惨、猟奇的ニ渉ル読物〉

が挙げられており、これはストーリーや謎解きの面白さが魅力の推理・探偵小説の全面的な否定である。次に九項に〈過度に感傷的ナルモノ、病的ナルモノ〉とあり、その他として〈小説ノ恋愛描写ハ回避シ、「駆け落ち者」等ノ言葉は八少年少女小説ヨリ排スルコト〉とあり、これは少女小説の否定である。さらに名作については〈時代小説…冒険小説ノ幾篇カヲ探検談、発見談ノ如キモノニ代ヘルコトヲ考慮スルコト〉と、時代・冒険小説も統制の対象としている。

こうして大衆的児童文学を半減させたことの引き換えに、〈少国民ノ生活ニ近イ物語〉いわゆる［生活主義童話］すなわち芸術的児童文学が浮上したのであった。これらの排斥は、講談社を意識してのものとみられている。

さらに［要綱］は、国策遂行のために子どもを体制下の一員として教育すること、つまり子どもの思想統制を明確にした。また科学知識に関するものを具体的に戦争に結びつけ〈爆弾、タンク、飛行機等ノ如キモノ〉を〈科学的知識ヲ啓発スル芸術作品〉にせよとし、〈歴史的知識ニ関スルモノ〉は〈忠臣、孝子、節婦等ノ伝記モノハモトヨリ…国史的記事ヲ取上ゲルコト〉と規定し、皇国民教育そのものをねらってきた。

このように［要綱］は「児童ジャーナリズム、出版物の面で、芸術派と大衆派の位置を逆転させることになった」（山中恒『少国民ノート』）。つまり大衆的児童文学が排斥されることにより、芸術的児童文学が浮上したのであった。

それは、人間の本性を育むものが全体主義にとって不都合となるためであろう、冒険・推理、空想科学、漫画といった分野は排除されていく。すなわちこれらが既成の枠にとらわれず、なにものをもおそれぬ要素を有していたからで、それらを盛り込んだ『少年倶楽部』は昭和初期を過ぎると影が薄くなり、戦時中はもっぱら戦意昂揚のための修養雑誌となっていった。代わりに進出の道が与えられたのは、教養主義的な［岩波文化］に象徴される読物であり、『赤い鳥』の系譜に位置づけられる芸術的児童文学者たちに発言の場が与えられることになったとみられる。

（ii）芸術的児童文学の優遇

こうした状況下で、小川未明や山本和夫、長谷川鉱平、二反長半など時局をふまえた芸術的児童文学論が出されるが、なかでも槇本楠郎の「少年文学の伝統的非芸術性」（二反長半編『少国民文学論』昭森社、（昭十七年四月）のように、真っ向から大衆児童文学を批判するものもあった。

この論で大変参考になるのは、少年文学の範疇としてそこに挙げられたジャンルの数々である。すなわち、立志小説、熱血小説、純情小説、義侠小説、事実小説、滑稽小説、明朗小説、仇討小説、正義小説、剣戟小説、秘密小説、冒険小説、海洋小説、歴史小説、軍事小説、動物小説、日支親善小説といった類である。彼は、これらは「ジャーナリズムの濫造する怪しげなるジャンル的名称」で、「かかる用語のアナーキーな跳梁を黙許してゐるところに、この分野の作家たちの無見識と、この文学運動の微力さを窺はせる」とし、「所謂「少年文学」乃至「少年小説」は、所謂「童話文学」乃至「童話」よりも「児童文学」として低級で、未完成の域にある」と断じている。これは極論であるにしても、当時の少年小説の捉え方が歴然としていて、はなはだ参考になるものである。

一方、当時の内務省は児童読物の指導方針として、①敬神、忠孝の精神の昂揚、②奉仕、勇気、親切、質素、謙譲、愛情の美風の強調、③子供の実際生活に即しての指導、④艱難困苦に堪える気風の強調、⑤日満支の提携融合の強調、を挙げていた。当時の芸術的児童文学の即応した内容が、大衆的児童文学と対照的であることが了解される。

以上ここまでは、①少年文学の起点、②少年文学の興隆と衰退、③芸術的児童文学と大衆的児童文学の相克、④大衆的児童文学の排斥と芸術的児童文学の優遇をたどってきた。

『少年倶楽部』と『少年クラブ』の特長

では次に、講談社の代表的雑誌であった『少年倶楽部』と『少年クラブ』の内容、そしてそれぞれの小説群を追っていこう。

（i）『少年倶楽部』の内容

『少年クラブ』は、一九四六（昭和二十一）年から一九六二（昭和三十七）年まで十六年にわたって刊行された雑誌である。その前身は『少年倶楽部』で、一九一四（大正三）年から一九四五（昭和二十）年まで出された。

この『少年倶楽部』は当時の代表的少年雑誌として、この分野を論ずる際には必ず取り上げられてきた。そこに連載された山中峯太郎の「敵中横断三百里」や佐藤紅録の「ああ玉杯に花受けて」などは、当時の少年らの血を沸かせたものとして、ことあるごとに語られている。

しかし筆者は、終戦直後からの『少年クラブ』の方に専ら関心を寄せるものである。それは自分が一九四四（昭和十九）年生まれであり、『少年クラブ』はその後まもない一九四六（昭和二十一）年四月に『少年倶楽部』から改題刊行されたもので、育ち盛りの時期に重なったという親しみが一つはあろう。だがそれよりも何よりも、装いを新たに再生された『少年クラブ』自体の内容の魅力である。それはまさに、後述する野間清治初代講談社社長の編集方針の開花と見られるものであった。
　ではじっさい、年少時の自分はどのようなところに惹かれたのだろうか。手元に所有している当時の現物（昭和二十四：五・六・七・九・十・十一・昭和二十五：一・二）をひもときながらこれを検証してみよう。
　それらの内容項目は夥しい数にのぼるが、便宜上、以下のように分類してみる（○内の数字は累計を表す）。
　表1
詩①、伝記②、実話②、探検家②、感動もの②、科学もの③、動物、建物、新聞、発明④、スポーツ⑤解説・伝記・観戦記、野球・水泳・体操、痛快・愉快漫画⑥、トンチもの⑦、工作⑧、たずねびと⑨、米国だより⑩、感動・歴史・少年・探偵・写真⑪
　このようにまことに多彩なものであるが、その評価にあたって戦前の『少年倶楽部』での内容項目がどうであったかの比較をしてみたい。三十年余にわたったなかからどこを選び出すべきか迷うが、さしあたり昭和初期のものをみよう。そこでは佐藤紅録、佐々木邦、吉川英治、山中峯太郎ら『少年倶楽部』の存在を刻印させた作家が輩出しているからである。そこでここでの項目を、前記『少年クラブ』と対応させながら列記してみる。

表2

少年詩①、伝記・偉人・訓話②、科学もの③、産業解説・建設④、相撲、立志漫談・小説⑤、漫文・漫画⑥、笑話・落語、滑稽大学⑦、海賊もの⑩、／（i・1）出世記事、・2）美談、・3）教育講談、（ii・1）皇族記事、・2）皇族記事、貴族院、（iii・1）軍艦・軍隊もの、・2）歴史―維新、大戦・海賊／小説―少年、海賊もの、探検、怪奇、諧謔・ユーモア、剣侠、時代、侠勇、歴史⑪、童話⑫、豪州話⑫、名作もの⑬

一見して明らかなことは、国威発揚につながる項目が歴然と並んでいることである。昭和初期の歴史的背景をみれば、世界恐慌の波、関東大震災の勃発という世情不安のなか、軍部が急速に台頭し、関東軍による満州事変を皮切りとした大陸政策が強行される前夜であった。具体的には、表2における（i）、（ii）、（iii）がその表れである。

戦意昂揚が叫ばれ始めるなかで、一九三〇（昭和五）年の（iii・1）（iii・2）のような軍部礼賛が現れる。同時に、一九二八（昭和三）年の（ii・1）（ii・2）のような皇室記事が、軍部の天皇利用の反映として目を引く。さらに見逃せないのは、訓話ものや偉人の伝記ものである。前者は教育勅語の流れをくむ道徳臭があり、後者は明治期以来の立身出世主義につらなるものであろう。

以上限られた範囲でみたなかでも、きなくさい時代の空気が漂ってきているのがみてとれよう。

(ii)『少年クラブ』の内容

翻って、戦後の『少年クラブ』はどうであろうか。

(iii)のような軍事色が一掃されたのは無論であるが、目に飛び込んでくることは、全体にみなぎる明るさ、伸び伸びとした解放感である。

ジャンルごとにみると、とりわけ目立つのはスポーツ記事、特に野球記事の多さである。グラビアには毎月、活躍する選手のフォームがあり、本文には野球解説者による観戦記や予測記事が連載されている。これは戦時中、敵国球技として禁止されていたものが一気に解放された現われであろう。ほかに、はれて参加可能となったオリンピックで活躍した水泳や体操の選手たちの記事もある。『少年倶楽部』では相撲や拳闘を扱っていたが『少年クラブ』では、戦後人気を集めた、相撲の名寄岩、水泳の古橋広之進らの活躍が目につく。そのほか科学記事では、宇宙、海洋への探索や、科学者の発明・発見が取り上げられた。よくいわれるように、水泳の古橋選手や理学者の湯川博士などの業績は、戦争に打ちひしがれた国民の気分を一掃したが、そうした空気はこれらの紙面にも現われている。

伝記では、偉人の採択は『少年倶楽部』と同様でも、立身出世や教訓臭は影をひそめ、リンカーン、ベーブ・ルースなどの人間性に重きがおかれる。また外国の逸話の類——五輪の発端となるマラトン、トゲを抜いてくれた恩を忘れぬ猛獣など——もある。

これらの記載は、日常の真面目な行為の積み重ねが将来に開花する、というイメージがあり、少年の未来に希望を抱かせるのである。

また、本誌および付録にある工作類が際立つのも目を引く。これは、少年の創造性を育むものであり、ここにも飛翔をめざす時代の空気が感ぜられる。

(iii)『少年倶楽部』の小説類

さて、最も大部を占める小説類はどうであろうか。この項目では、両誌ともそれぞれ頭に○○小説といった小分類名をおいているので、大変識別しやすい。

まず『少年倶楽部』をみると、(i)少年そのものでは「少年〜」「熱血〜」、(ii)冒険ものでは「冒険〜」「探検〜」「海賊〜」、(iii)探偵ものでは「怪奇〜」、(iv)ユーモアものでは「諧謔〜」、(v)時代・歴史ものでは「時代〜」「剣侠〜」「侠勇〜」「歴史〜」などに分類される。(ものによっては「〜物語」などとある。)

ただここには、この分類に入れられない、佐藤紅禄の「ああ玉杯に玉受けて」のように無冠のものもある。この時期はこれをはじめとして、(ⅳ) には佐々木邦の「苦心の学友」、(ⅴ) には吉川英治の「神州天馬侠」、そして (ⅱ) の山中峯太郎の「敵中横断三百里」と、まさに『少年倶楽部』の一時期を画した評判作が並んでいる。

それにしても、小分類名の「剣侠〜」「侠勇〜」といった大仰な名称、「諧謔〜」といったいまや死語の名称が時代を感じさせると共に、山中の評判作については先に指摘した時代背景を反映していること、多言を要しないであろう。

ここで、『少年倶楽部』を論ずる際に必ず引き合いに出される講談社の野間清治初代社長のことばを見よう。『少年倶楽部』の創刊後まもなく公表された〝本誌の編集方針〟の一部である。

…今日学校において為そうとしても出来ないというような仕事があるとすれば、雑誌はそれらの仕事を引受けてやるということで学校教育を補いたい。これが為めには、利益（ため）になるということは第二に来るべき問題であって、先ず以て面白いということに力を尽さなければならない。そして面白いということの後に、知らず識らずに利益（ため）になるということが随いて来る。…

今の学校教育において為そうと欲してなお十分に為すことの出来ないのは、多くの実際教育家の説によれば、それは精神教育であるそうであります。故に出来るならば、雑誌を以てこの精神教育を助けてみたい。或いは忍耐とか、或いは勇気とか、或いは恭順とか、或いは感恩とか、種々なる徳育に力を尽してみたいと思うのであります。そして我等は、徳育を中心信条として「偉大なる人」にならねばならぬということを標榜して少年に対しようと思う。これを本心とし、骨髄としたいと思う。

ここには、『少年倶楽部』に盛られた要素のすべてが見てとれる。じっさいこの文における忍耐、勇気、恭順、感恩等々の要素は、上記の小説類にそのまま反映しているといえよう。そしてこの文が淵源となって、講談社のトレード・マークとなった「面白くてためになる」は、これらの小説が具現したのであり、全少年に歓呼をもって迎えられたわけである。

そうした健全な理想が侵食されていった現れが、例えば軍事小説の代表たる「敵中横断三百里」といえる。「面白くてためになる」の面白さは見事に合致しても、後半の「ため」とは、時代によってその意味は大異してくるのである。

もう一つ上記〝編集方針〟で見逃せないのは、「偉大なる人」の話である。少年の向上心を奮い立たせる意味ではあっても、これはいわゆる立身出世にかかない、今日のエリート志向につながる普遍的な要素である。ただそれが「末は博士か大臣か」だけでなく、この時期はそこに軍人志向が加わってきたことは争えないであろう。

（iv）『少年クラブ』の小説類

以上『少年倶楽部』の小説群に看取される上記の傾向に比べて、戦後の『少年クラブ』のそれはどうであろうか。

まず目につくのは、○○小説という名称の変化である。時代・歴史ものでは、数自体が減少するとともに「侠勇～」「剣侠（歴史）～」「幕末物語」といった大仰なものは影をひそめ、単純に「時代小説」となっている。またユーモア小説の類では、「諧謔小説」といった時代がかったものから「愉快小説」「明朗小説」となっている。そして、前言で触れた「立志講談」「立志小説」の類は姿を消す。

注目したいのは、一九五二（昭和二十七）年一月からの〈連載写真小説〉である。このころは、どの少年雑誌も写真入りの読物が掲載されていた。だがその多くは、世間で上映されている映画をストーリーと共に紹介するものだった。それは地域上、経済上の理由から、なかなか映画を見る機会にめぐまれない少年たちにとって、鑑賞できぬ渇をいやす格好の代用品だったのである。しかし『少年クラブ』のこのジャンルはそれとは異なり、まったくこのための創作であった。

筆者の思い入れが深いのは、「母はいずこに」（赤川武助）であった。——身寄りのない少年が行方不明の母をたずねて単身東京に出てきたのだが、暴力団のカモにされてしまう。危うくその餌食になる寸前で勇敢な少年たちの活躍で救われる、という筋立てである。主人公の唯一の持ち物である風呂敷包みを「俺が預かる」と奪われたまま、あやしげな彼らの住処に連れてこられ、仕方なくあてがわれた汗臭い寝床に入ると、雨が降ってくる——この辺りの描写では、彼の運命やいかに、と文字どおり次号が待たれたものであった。

またそれらの写真は、プロの劇団俳優が演じていたので、どの人物も真に迫る表情と迫力があった。このシリーズは、他に類のない逸品とみてよいと思う。

＊

さてかなり贅言を費やしたが、筆者としては少年ものの成果として、まずもって引き合いに出される『少年倶楽部』の意義は認めつつも、戦後の『少年クラブ』には、新生日本の年少者に次代をたくす制作陣の思いが込められた作物群として、大きく評価したいのである。それは、冒頭「少年文学の特質」の結尾でおさえた少年文学のあるべき条件と目途にまさにかなうものだからである。

少年文学の興隆から衰退へ

このようにこれを地盤とした少年文学は、戦前戦後を通じて興隆したが、次第に衰退の道に至った。本項ではその推移をたどりながら、その要因を明らかにしていきたい（なお少年文学の主力は小説なので、以降は小説が中心となる）。

講談社はさまざまなジャンルで大衆向けの出版社としての王座を保ち続けたのだが、こと少年文学に関する限り、下降線を余儀なくされていった。すなわち『少年クラブ』の部数は漸減し続け、一九六二（昭和三十七）年に遂に廃刊となる。

二上洋一は、一時は黄金期を担った少年雑誌の衰退について、南洋一郎を例にとり「南洋一郎にとって不幸なことには、『吼える密林』は、日本が戦争への道程を転がり落ちる入口に位置し、さしもの少年小説の黄金時代も分解への道を歩まねばならなかったし、『緑の金字塔』は少年小説終焉への道を、これも歩み始めた時期であった」（『少年小説の系譜』幻影城）と述べた。そして少年小説の終焉を、以下のように哀惜している。

――少年小説の黄金時代は『少年倶楽部』で築き上げられた。しかしそれは太平洋戦争によって、作家たちが報道班員として徴用され、少年小説の健やかなイメージの育みを遮断された。

昭和二十年後半の少年雑誌は、軍国日本から平和日本への方針転換で暮れていく。じっさい戦争直後の作家は少国民に向け、新たな姿勢への変身を示唆した。こうして文学的児童文学と大衆的児童文学の共存となる。

そして昭和二十一年に登場した手塚治虫の編み出したストーリー漫画によって、大衆的児童文学は、少年小説と同機能を内包する「まんが」の近代化に立ち会わねばならなかった。すなわち少年小説のストーリーに動きと速さそして絵という少年好みの道具立てのそろった近代まんがによって、少年小説の歴史は幕を閉じた。――〔少年小説の系譜（「少年小説研究」《少年小説大系》別巻：要約）

また佐藤忠男は、戦後の『少年クラブ』の内容を以下のようにみている。

（『少年クラブ』は）いったん少年向きの民主主義的な教養雑誌として再発足し、阿部知二の連載小説などをのせたが、以後、興味本位の娯楽雑誌との中間を行くようになり、漫画『月光仮面』などを発表している。しかし、その後むしろ競争誌の『少年』（光文社刊）に抑えられ、それとてもテレビやラジオ、映画など、他のメディアの圧倒的な力の前には小さく、ついに廃刊になった。（「少年の理想主義」――『思想の科学』一九五九年四月）

前引の二上論文による少年小説の終焉では、まんが文化の影響が挙げられていたが、ここではメディアの攻勢を挙げている。

ここで、彼らの説く少年小説の終焉理由は2点に要約される。

一つは戦争による影響で作家の徴用があり、また戦後はその変化に即応し難かったということであり、もう一つは近代まんがなど、読者の関心がメディアに向いてしまったことである。さらに佐藤は、これにテレビ、ラジオ、映画などのメディアの大きさを挙げている。つまり第一に、軍国主義から平和国家への転換に執筆者が対応しきれなかったという書き手の問題、第二にまんがをはじめとしたメディアの攻勢に埋没したという読み手の問題が挙げられる。

以上の事由を、筆者なりに検討してみたい。

平時における少年小説

まず第一の、軍国主義から平和国家への転換における執筆者の不対応であるが、自由な空気に生まれ変わった戦後の下でなぜ少年小説は育み得なかったのか、である。

ここで少年小説に込められる要素を改めて確認するなら、冒険、情熱、友情、ユーモアなどであろう。それは、先の『少年倶楽部』にみたジャンル名そのままであり、かつ『少年倶楽部』から『少年クラブ』に引き継がれたものも多い。つまり戦後も、少年小説の要素は存続していたのである。

ただ『少年倶楽部』では、その内容が『少年クラブ』のような健全な夢と希望を育み得ていないように見うけられる。『少年倶楽部』の描く内容は、山中峯太郎、平田晋作、吉川英治、佐藤紅緑らの小説であるが、それは今日からみてどのように評価されるであろうか。『少年倶楽部』の話題で直ちに取り上げられるこれらの話群は、具体的には当時の時代状況――大陸雄飛思想、南進政策、立身出世―と切り離しては考えられず、それらが少年たちの積極性をたきつけたのであろう。

次に、そうした雑誌を月々年少者が待ち焦がれていたということであるが、当時の少年の嗜好環境は限られており、活字に馴れ親しみ得た者が主力であったのではなかろうか。そして、今日ただいま彼らの作品を陳列したとき、年少読者には時代錯誤の感を免れぬであろう。つまり国家主義、武狭精神、正義任侠などの思想、そして活字状況の狭さは、あくまでも戦前の一時期一環境のものであり、少年小説の有する幅広い分野を占めているとはいえまい、ということである。

もとより『少年倶楽部』でも、新しい時代に通じる佳品はある。それは軍事色や立身出世でなく、前掲の友情もの（佐々木）、少年らの交友もの（サトウ）、時代もの（吉川）などに存在し、それらの流れは戦後の『少年クラブ』に引き継がれている。それはつまりこれらの要素が、時代の荒波を潜り抜ける普遍的なものである証しである。

『少年倶楽部』の黄金期とは、まずは爆発的な販売部数によっての謂いであろうが、同時に、そこに盛られた冒険・空想・推理などのストーリーが圧倒的に受け入れられたところにある。しかしその一方で書かれた軍事や立身出世といった類が幅をきかせるようになると、冒頭「少年文学の特質」でおさえた健全さ、理想主義、真善美などの要件が薄れていったことは争えない。ただそうした不自由な状況下をくぐり抜けながらも、上記のようなテーマは辛うじて生き残ってきたとみられよう。

また『少年倶楽部』に描かれた世界の多くは、実際には得難いものであった。少年たちは思い切り想像の翼を拡げ、そのロマン・虚構の世界に浸り込めるが、本を閉じれば現実に戻ってしまう。しかし社会に視点を見据え、そこから希望ある世界を拡げていくという、『少年クラブ』に引き継がれた内実こそ、新たな少年小説を可能にする。そしてこのことは、硝煙が去り、健全な市民生活がひらけた地平にこそ成立し得るはずであった。

となれば、そうした状況が消滅した戦後こそは、新たな環境に対応した少年小説が出てしかるべきであった。にもかかわらず少年小説が終焉したというならば、あくまでも当時の内実を問うてはじめていえることだと思う。

その点、前述のようにたしかに『少年クラブ』がメディアの力に押されたことは事実だとしても、作品そのものの魅力は色褪せていなかったことは、二上が前掲論文で、

『少年クラブ』には、阿部知二の「新聞小僧」が連載され…さわやかな印象の佳作であった。この時期、未だ少年小説の残光は、十分に揺曳していた。…小山勝清が…名作「牛使いの少年」を発表したのはこの年〔昭和二十三年〕である。

としている。また「まんがの近代化が予想以上に早く進んでいた」としても、
作家の努力もあり、編集部の姿勢も曖昧な時期に、少年小説黄金時代の余光は、しばらく続いていく。昭和二十四年から二十五年にかけて、南洋一郎は「緑の金字塔」を書く。佐々木邦は「僕らの世界」を執筆し、高垣眸は『東光少年』にSFの「凍る地球」を連載する。二十五年には、サトウ・ハチローが「チャア公四分の一代記」を書き、氏原大作が「見たか青空」を連載する。彼らは、栄光の少年小説時代を担った人達であった。

としているとおりである。

ではこれらが、なぜ現代に引き継がれなかったのかを問題にしなければならない。

戦後の読み手の状況―筆者の体験から

ここで書き手の問題はひとまずおき、次に読み手の問題を考えていきたい。少年文学が衰退していったのは、動きが早く耳目を惹きやすい音画によりストーリーが手っ取り早く知れるメディアに子どもらが飛びつき、活字文化がそれ以上の魅力を産み出せなかったからというようにいわれる。

この理由づけについて、上記のメディア攻勢という状況に際して、筆者は当時の自身の周囲を想起しながら考えてみたい。佐藤忠男は自身の体験を重ねて『少年倶楽部』を考察した（「少年の理想主義」）が、それを筆者はそっくり『少年クラブ』で試みるわけである。ちなみに佐藤が昭和一桁生まれ（昭和九年）なのに対し、筆者は戦争直前生まれ（昭和十九年）である。（筆者の経験は、当時の平均的な市民社会をうかがうに足る様相であろうため、ここに記す次第である。）

さて、自分が年少時に育ったのは典型的な中小都市で、メディア情報はほどほどに流れ込んでくる状況であった。戦後一気に花開いた文化状況は、まだ決して豊かといえぬ庶民の日常にも、そこかしこににじみ出てきていた。すなわち視覚の面では、むろんテレビはなくもっぱら映画が最大の娯楽であり、耳からはラジオのドラマや歌謡番組が盛んであった。

この時期、われわれ年少者はそうしたメディアにどう向き合っていたであろうか。ラジオでは、大衆娯楽向けには、いまに語り継がれる作品・番組が次々に打ち出された。そのうち年少者対象の番組「さくらんぼ大将」「三太物語」なども作られたが、わけてもわれわれを惹きつけたのは、〈新諸国物語〉であった。それは全五作にわたり、初めは評判にならなかったがしだいに人気番組となり、映画化されるに及んでどこも超満員であった。

留意すべきは、これらは一つの様式美をもっており、どんな斬り合い場面でも、決して血を見ることはなかった。しかし観客対象が次第に大人の鑑賞に耐えるものにせり上がってくると、そこにリアリティが求められてきた。あれだけの殺傷に血を見ないのは不自然だ、というわけである。さらに映画がカラー化すると、スクリーンには血塗られてくるのが普通となった。その後映画は時代劇からヤクザものに転じていくに従い、この傾向はいっそう顕著になった。

以上述べきたったが、筆者がここで強調したかったのは、上記の児童対象の映画に健全性が保たれていたということである。邪悪な者どもに正義の側が勝つというお決まりのパターンながら、そこには勧善懲悪の道徳臭がなく、クライマックスの剣劇場面は溜飲の下がる結末に終わるのだった。

ここで当時の年少者が、勉学外ではどう過ごしていたか、その実態も想い起してみよう。戸外では、まずは仲間うちでメンコ、べえごまに興じ、川原での幼虫探し、子ブナ釣りが相場であった。そして彼ら相手の商店では、それらの遊び道具をはじめ、漫画本、写し絵などのゲームセットなどがはやっていた。それらのうち、メンコや漫画本には、上記の映画スターやスポーツ選手など当時のヒーローが写された。このように戸外の遊びに興じた者がいる一方、室内志向の者は、少年雑誌や名作ものに読みふけったのである。

ここで大事なのは、こうした室外者と室内者との媒介役が如上の映画であり、まんがというジャンルであったということ、これらは室内・外いずれの層にも共通項であった、ということである。

その点、戦前の『少年倶楽部』においては、雑誌以外のこうした分野はどうだったのであろうか。『少年倶楽部』の記載内容で見る限り、その購読層はかなりの知的レベルにあったように思われる。これは想像の域を出ないが、室内・室外双方の子どもらの接点は乏しかったのではなかろうか。

そこへいくと戦後の『少年クラブ』時代の少年層は、知的接触は比較的均等化していたように思う。むろん活字には縁遠かった学童も少なくなかったけれども、ラジオや映画という分野のフィクションによって血を沸かせたのは双方とも同一であった。そこに『少年倶楽部』時代にはない共通項があったのではないか、と思われるのである。

例えば、雨が降ったとき、体育の授業は運動場でできない。当時は体育館などなかったから、やむなく狭い図書館で過ごすことになる。体育好きには無聊きわまる時間であったが、そこには（少年雑誌の類でなく）前述した《全集》や《文庫》が置かれていて、彼らはいきおいそれを手にとり、名作に触れる機を得た。（『少年倶楽部』の時代は、こうしたときどんなふうであったのか、知りたいものである。）

こうしたところに『少年クラブ』時代の枠組みの広さが認められ、それを題材にした小説・ドラマなどフィクションの成り立つ可能性が大であったのだと思う。だからそこに描かれる内容は、地に足の着いた題材であり、登場人物はどこにでも見出される等身大の人間たちであった。それはなにも、扱う領域が学校や市民社会に限らずとも、探偵小説や冒険譚でも、荒唐無稽でなく身近なテーマ・人物が描かれる。第二章の各論に取り上げた小説のすべてに、それは言えることである。

以上、長文を費やしてしまったが、如上のことをまとめると、『少年倶楽部』が少年文学の宝庫として回顧されるが、そこには当時の時代状況（軍事・出世）が反映されるものが多く、その一方で、それらと切り離された少年ものに普遍的なテーマが見出されること。それをこそ今日に受け継がれる普遍的な事柄であること。それが戦後の『少年クラブ』には引き継がれていること。対して『少年クラブ』の少年層の知的接触は均等化していたこと。そして新たな題材の拡がりの可能性があろうこと——である。

マンガ中心のメディア攻勢

しかし実際には、『少年クラブ』とその読者は変容・減少化していった。では上のように、少年文学における新たな広がりの可能性をもった読者層を阻んだものは何かを考えたい。

まずもって挙げられるのは、戦後膨張したメディア—マンガ、テレビ、ラジオ、映画など——の攻勢であることは争えない。ここでは二上が決定的なものとして挙げた「まんが」を中心に考えたい。次に前期②の、少年文学がマンガにとってかわられたことについて考えてみたい。(以降、まんがが劇画の意味合いをもつことから「マンガ」と表記する。)

手塚治虫がひっさげたマンガの登場によって、少年文学が席巻されたことは事実であるにしても、その現象は先駆者たる手塚にとって決して本意ではなかったはずである。彼はそれまでただゲラゲラ笑わせるだけのものに対し、ストーリー漫画という分野を開拓したかったからである。それは従来のいわゆるナンセンス漫画にとって代わるわけではなく、あくまでも新たな分野を入れ込み、その世界を押し広げたのである。それまでの「漫画」という表記が「マンガ」となり始めたのは象徴的である。ストーリー漫画が登場してもナンセンス漫画は依然として存続し、並行しているのは世に見られるとおりである。

では、漫画に持ち込まれた物語性はどうなったであろうか。物語漫画には二通りがあり、一つはストーリーを独自に作り上げたもの、もう一つはストーリーをマンガ化したものである。

まず前者であるが、ストーリー漫画の嚆矢とされる手塚の「ジャングル大帝」、また大作「火の鳥」「0マン」はこれである。これらはストーリーそのものが雄大で、児童文学史に残るものといえようが、手塚の手になるイラストも不可分の作品であることはいうまでもない。したがってこのオリジナリティ性のあるストーリー漫画は、独自のかつ新たなジャンルを創出したものといえる。

問題は後者の方である。既存の物語を漫画化したシリーズのうち、筆者の手許には集英社版《おもしろ漫画文庫》がある。これは当時の年少読者には圧倒的に迎えられ、《全集》と並ぶ百巻を数えたと記憶する。ここで注目すべきは、これらがすべて既存の名作を網羅し、劇画化していることである。これはもとより功罪両面がある。前者は、世界の名だたる名作を気やすく知ることができたことである。しかし後者は、その表裏一体として、名作をこれで知れたという安易な満足感に陥ったことであろう。とはいえ、こうした危うさがあるにもせよ、世界名作をひとまず年少者に植え付けたという功績は否定できない。

ここでさらに、原典と劇画の違いを考えてみよう。

まず言えることは、文章では読者がそこに描かれた人物や様子を、頭の中でイメージしながら読まねばならない。しかし絵画・映画（さらに挿絵）では、描かれるもの自体が主体となるため、読者はそれにより、イメージがしばられてしまうわけである。そこでは読者の想像性は遮断される。

オリジナル漫画は、前述のとおり独自のジャンルなのであるから、それがすべてである。しかし問題は既成の話を画像化した場合である。なかなかイメージがわきにくい人物や叙景が、映像を目にすることではっきりするという長所はあろう。しかし自分なりに描いていたイメージに対し、映像化された作品や劇画を目にして違和感をもつという経験は誰しもあろう。しかしそれはむしろ、読み手と作り手の意思がすべて合致することはあり得ないわけで、致し方ないことである。あるいは（挿絵の入った物語のように）ストーリーと映像が補いあって読み進めるような形態では、そうした対立は少なく、幸福に同居できるものもあろう。

ここで筆者はもう一つ、少年時の体験を想起する。それは、漫画物語という形式であった。粗末なザラ紙に二色刷りのコマ漫画が数ページ続いたあと、ぎっしり活字が詰まった物語が二・三ページとなる。そしてまた漫画―物語というようにつながった四六判の単行本であった。初め筆者は、漫画だけを追って見ていた。しかし何度目かから（当時は、読み捨てなどできぬほど本は少なかった）物語部分の小さい活字をたどって、結局百数ページを完読したのだった。田園を舞台とした少年と小動物ののどかな話で、今でも忘れられないものであった。

思うに絵画と文章を並べた場合、マンガや絵本は絵画が主で文章が従である。逆に、読み物は文章が主で、絵画（挿し絵）は従である。年少者は後者（読み物）がとっつきにくいことから、前者（マンガなど）にのめりがちである。そこで両者の中間をいく、いわば絵物語のような形態が浮かび上がる。これはあくまでも過渡的方法であるが、大人の活字本に行きつく前の便法としてもっと試みられてよいのではないかと思う。

少年文学再生の可能性

ここまでは、少年文学がどのように成り立ってきたのかの歩みをたどってきた。そこで次に、これから少年文学の再生を果たすにはどのようにすべきかを考えてみたい。

その指針として以下では、少年文学の黄金期を飾るに力与った講談社の出版物を再読することにした。具体的には、まず第二章で、『少年倶楽部』から戦後再生した『少年クラブ』のうち定評のあった少年小説を選んだ。次に第三章で、当時は小中学校のどこにも常備されていたシリーズ《世界名作全集》（以下《全集》）からいくつかの作品を選んだ。

ここに選び抜いた作品こそ、先に押さえた少年文学の骨髄となるものが見出せよう。すなわち『少年クラブ』における「チャア公四分の一代記」には明朗さが、「大迷宮」にはサスペンスが、「魔女の洞窟」には勇気が、「緑の金字塔」には冒険心に満ちあふれている。そして《全集》における「ロビンソン漂流記」には粘り強さが、「宝島」には探求心が、「巌窟王」には正義が、「ああ無情」には人間愛が込められている。

これらには、夢と希望、そして前進性が充満しており、しかもそれらを把握させるための「面白さ」が存分に満たされているのである。

これら少年文学の精髄が込められた作品群を、以下の第二、三章で再読・分析していき、そのことによって少年文学再生のよすがとしたい。

講談社版《世界名作全集》の意義

第三章で扱うこれには前身があり、もとは《世界名作物語》という叢書名で一九三七

（昭和十二）年から十数冊が刊行されていた。戦後これを下地として、一九五〇（昭和二十五）年の第一巻を皮切りに第Ⅰ期十巻、第Ⅱ期十巻と続く。そして一九五六（昭和三十一）年までに百五十巻、さらに一九六一（昭和三十六）年までに三十巻と次々に巻を重ねて、合計百八十巻の大部に及んだのである。

このシリーズは、当時どの学校図書館にも常備されていたものであった。この一九五〇年は《岩波少年文庫》（以下《文庫》）も刊行され始めたので、少年文学シリーズにとって一時期を画した年でもあった。

だから両叢書とも、その頃からどこの小中学校でも置かれてきたのだが、筆者が館内でまず目についたのは《全集》であった。それは何よりも、装丁に格段の違いがあったからである。《文庫》は新書判で、表紙は赤または青の格子縞模様で、その上部の白マドに書名が書かれただけの、まことに地味なつくりであった。それに引き換え《全集》は、四六判の多色刷りの箱入りで、そこには物語内容を表す絵図が描かれていた。そのため、いやがうえにも読書欲をそそるものがあり、事実、館内の蔵書は借り手が引きもきらなかったのである。

世に名作・名品といわれるものは数知れず、それが戦後のこの時期に活字でおこされて全集・叢書の類が次々と出版され、一般大衆は、一気に身近となったそれらの文化遺産をむさぼったのであった。いわゆる〝円本ブーム〟の時代は、一九二六（昭元）年に出された改造社の《現代日本文学全集》であったが、同類形式で一九五三（昭二十八）年に出された筑摩書房の《現代日本文学全集》は、同社の起死回生となる大ヒット商品であった。また世界の名作でも、河出書房の《世界文学全集》をはじめとして、多くの叢書が次々と出され一大〝全集ブーム〟となったのであった。

こうした一方、児童文学の面で先がけとなったのが、この《世界名作全集》だったのである。（この講談社が、大人の文学ではかなり遅れて《日本現代文学全集》を出し、文字通り筑摩や河出の後塵を拝してしまったのは面白い現象である。）

改造社や筑摩の全集企画の成功は、夥しい数に及ぶ作品を百巻近くという思い切った規模で集大成し、一般人の目にそれら名作・大作群を俯瞰させて身近に引き寄せたことにより読書欲を喚起したことによろう。

そうした要因からするとこの《世界名作全集》は、刊行事情からみても少々意味合いが異なる。これは前述のとおり、もとは《世界名作物語》という叢書が戦後復活され始めたもので、当初は第Ⅰ期、第Ⅱ期それぞれ十巻という小規模なものであった。だから上記の大人向けのように、まずは多量の冊数で迫るものではなかったのである。ちなみにその書目は、以下の通りである。

第Ⅰ期―①ああ無情、②宝島、③巌窟王、④乞食王子、⑤鉄仮面、⑥小公子、⑦小公女、⑧トム・ソウヤーの冒険、⑨アンクル・トム物語、⑩ロビンソン漂流記／第Ⅱ期―⑪家なき子、⑫ガリバー旅行記、⑬クオレ物語、⑭西遊記物語、⑮三銃士、⑯家なき娘、⑰十五少年漂流記、⑱ロビン・フッドの冒険、⑲ハックルベリーの冒険、⑳シェクスピア名作集

これが好評を得たため、以降、巻を重ねていったのであった。

競合した《文庫》と《全集》を比較すれば明瞭なことだが、《文庫》がこれまで日本に紹介されていなかった海外の児童文学をつとめて採り入れるのを特色としていたのに対し、《全集》はオーソドックスに、古来からの年少者向けの名作を取り揃えていた。こうした趣向の違いは、両社の各々の社風を反映させたものといえる。

さてこの《全集》は、読者対象を小学高学年から中学生までとしていたが、そのラインナップに瞠目したのは成人でもあった。これが装いも新たに再刊され始めたのは、前述のように戦後まもなくのことで、皆活字に飢えた時期である。そんななか、名作と知りながら実際に目にする機会を得なかった、もしくは再読したかった作品で、それも鮮やかな挿

画入りでとっつきやすいとなれば、大人でも手が伸びたのであった（じっさい筆者の父は「ロビンソン漂流記」や「宝島」を一気に読了していた）。同時期には文庫本も無論存在したのだが、児童ものの方が気楽に手にできたであろう。つまり《全集》は老若を問わず歓迎された、一種の国民文化物といえたのである。

＊

いわゆる世界の名作の双書類は限りなく刊行されているが、講談社の《全集》はまったく独自の色彩を放っている。なぜならそこにはどの書（目）においても紛うことなく少年文学のめざす要素が認められるからである。この《全集》は一部は戦前からの既刊書を再刊させたものであるが、戦争後に再刊するにあたり（つまり『少年クラブ』とほぼ時を同じくして）装いを新たに発刊されたものであった。

その執筆陣をみると、まさに『少年クラブ』で力を発揮した陣容が並んでいる。そして現書の序文には、新たな時代に向けての少年たちへの熱いメッセージが綴られている。そしてこうした思いから、これらの執筆にあたっては、原作を大胆に改変していったことも断り書きしている。だからこれらは単なる翻訳でもなく、かといってもちろん創作でもない、翻案としてのものたちなのである。背表紙の執筆者の後は「訳」でもなく「著」でもなく、何もつけずにただ名前だけなのがそれを物語っている。

つまりこの双書の一つ一つは、単なる翻訳でなく一個の「作品」なのである。この双書は、当初二十巻であったが、順次巻を重ねていくが、後になるに従い執筆者の後が「訳」となっている。つまり他と同様の形となったわけである。

この翻案という方法をめぐっては、原作の香気を損なうものとして、児童文学界で論争があった。《全集》の末尾が次第に「訳」となっていくのは、その反映と思われる。つまり原作をそのまま翻訳していく方向になるのであるが、しかしこうした変更によって、《全集》のはたした独自性は失われ、全百六十巻の大部に至ったものの打ち止めとなった。(《全集》は途絶えたが、岩波の《文庫》はいまだに続いている。)これは《全集》のような再話方法の終焉を表すだけではない。かかる方法で示されてきた少年文学の面白さの消滅をも意味するものであった。(『少年クラブ』の休刊が一九六二年であり、《全集》の終刊が一九六一年なのは、まさに軌を一にした現象である。)

では現在、翻案でなくともいかなる方法によれば、少年文学のめざすものの復元が可能なのかが改めて問われることになる。

《世界名作全集》の役割

さてこの《全集》は、少年文学史上からみるとどのような役割を持つのであろうか。

『少年クラブ』が前述した「現実をふまえて虚構へ」を志向したとするならば、《全集》の成功は虚構の世界に徹したことにあろう。すなわち《全集》の内容は、古来から伝わる世界の古典文学からエンターテイメントとして定着した物語を抽出し、それを年少者向けにリメイクさせたものである。

ここで、《全集》における二つの特長を挙げたい。

まず①書目の選定について、である。先の表に明らかなように、ここにはまさに「世界名作」というにふさわしいオーソドックスな書目が並べられている。これは当たり前のことのように見えるが、戦中は外国の名作は思うように見られなかったことから、大いに歓迎されたと思われる。

次に、②著者の選定で、これは一層の特色をもつ。それは、少年文学に手慣れた作家陣を動員して年少者向けにリメイクさせたからである。これは、「原点に忠実に」を旨とした《文庫》と相反するものであった。それは古典を年少者に取りつきやすくした工夫の現われで、まさに面白さを旨とした講談社の面目躍如たるものであった。しかも『少年クラブ』で実績を積んだ執筆陣の筆力によって、児童文学の古典は当代の年少読者に合致し、受容されたのである。

このようにして〝復活〟した世界文学の古典は、日本の年少者にとって貴重であった。

日本の近代文学が、青春を育まぬままいじけた中年の地層に埋没してしまったことは世界の文学状況と対照をなすものであったが、それからの文学はその間隙を埋める必要があった。それは折しも輩出した文学全集ブームが請け負った体をなしたのだが、年少者に対しては古典をかみくだいた書物が必要であり、それに《全集》は適合したのである。そして『少年クラブ』執筆者たちは、その年少読者に、少年文学の基幹たる夢と情熱、進歩と希望など、新生日本を背負って立つ彼らに最も必要な空気を吹き込んだのであった。

そうした意味で《全集》の果たした役割は、改めて大きく評価されるべきであり、われわれはそこからその財産を汲み取るべきであろう。

《全集》の消滅と「世界名作」の行方

しかし《全集》は消えていった。その下降状況は、その書目一覧を見れば窺うことができる。本シリーズは第Ⅰ期、第Ⅱ期と巻を重ねるにつれて、往年の名作ものが次第に減少していく。（また、同じ作者を再登用していったりしている。）しかもそれが枯渇すると、名作というより、評判作や大人の読物を無理に児童ものに直したり、といった苦しい続刊が目立つ。それも百巻、百五十巻を超えると、もはや聞いたこともないような作品（おそらくオリジナルもの）まで現れ、さすがに百八十巻で打ち止めとなっている。その衰退事由は、『少年クラブ』の場合と同様であろう。

そこへいくと《文庫》は、前述のように当初からオリジナルな児童文学を志向し、ゆくゆくはそれを新たな世界名作となるであろうことを予兆するような書目を確信的に選定していることがうかがえる。第一巻からしてかの「星の王子さま」であり、その後リンドグレーン、ロフティングなど、それまでわが国には馴染みのなかった作者の作品群がすっかり市民権を得るようになっており、岩波編集者の慧眼に敬服させられる。

こうした事由により、半世紀たったいま、《全集》が消え《文庫》が残ったということであろう（いまでもコンスタントに売れている由である）。

＊

しかし問題は、両者双方に見られた「世界名作」の行方である。《全集》のほうは、180巻もの無理な増・続刊によって、かつての「名作」もろとも消え失せてしまった。一方、健在な《文庫》のなかにそれは見出し得るとしても、それは「原作に忠実に」訳出されたものばかりである。ページの制約もあって、それはいわば小型版の名作ものといえる。それでもって、原作の真の面白さを児童に伝えきれているのだろうか、という歯がゆさを、《全集》が成し得た数々のリメイク名作に没頭した筆者としては禁じえないのである。

例えば「宝島」は、親本の岩波文庫も《文庫》も分量としてはほぼ同じだから、どちらを取っても大差はない。しかし膨大な「レ・ミゼラブル」や「モンテ・クリスト伯爵」は、むろん小型版に収まりようがなく、上下二冊がせいぜいである。そこで《文庫》は、原典のエキスを抽出した抄訳という方式をとらざるを得なくなっている。それら抄訳の解説には必ず、これをきっかけにいずれ原典をひも解いてほしい、と付記されている。仕事に生活にかまけるようになった成人が、それをどこまで実行しているかは定かでないが、少なくともこの抄訳で面白さを感じ取ったのを機に、原典に向かう可能性が生み出されていよう。

翻って《全集》の方では、これは一種の創作に近いわけだから、たまたま原典をめくったとき、まったく新たに出会った思いに打たれるに違いない。従って原典を捨象した部分も少なくないし、原典の優れた文体はやはり改めて獲得する必要があろう。《全集》と《文庫》のもたらす差異はこのようである、と考える。

定評ある世界の名作群を仰ぎ見て、大人になる以前の年少段階でその魅力の糸口を伝える――その光輝ある著述作業をいかに達成することができるのか。そこには『少年クラブ』の作品群と共通し、少年文学の基幹である「面白さ」が決め手であろう。そのモデルを改めて《全集》に読み取りたいとの思いから、第三章の各論で点検しようとするものである。

少年文学再生のために

さて現代の少年たちは、これまでに掲げた少年文学の理想主義的な要素をはたして獲得しているのだろうか。現行メディアによって、それらが満たされているとはとうてい思えないのである。いや彼らはかかる要素の存在すら体内から消えているのではないか。じっさい現代の少年たちを見るとき、夢や希望そして冒険心があふれているようには見えず、望みはほどほどに安定さえすればよいとするきわめて小市民的な様相である。もはや「少年」という境域すらなく、彼らは幼児から一足飛びに大人へ飛んでしまっているのではなかろうか。

そうした現象のゆえんは贅言を要しない。それは第一に、かつての少年ものに描かれたフィールドが、今日急速に失われたことが挙げられよう。すなわち、彼らが躍動する舞台としての野原、小川の急速な喪失という環境の激減である。そしてまた、そこで登場した少年たちは、授業を離れての遊びやつきあいを通して、さまざまな人間関係のドラマが展開されるのだが、今日連れだって屋外で遊びに興じる姿は、ほとんど見当たらない。こうした環境の変化が第二である。

そうした自然の喪失に伴う都市化現象を背景としての人間関係の希薄さ。また教育環境といえば、子どもたちは警報ベルを持ちながら学習塾に通い、その夜遅くまで行き来する町々には防犯カメラが四六時中監視している。そして学内ではいじめが横行し、体罰が加えられる。

こうした息苦しい環境におかれた少年たちの生態そして願望は、いま児童文学の作家たちによりさまざまな角度・方法でとらえているようである。それは貴重な作品群であり、児童文学の重要な一区域におかれるものであろう。だがそれは現代を反映した文学の貴重な成果ではあるが、少年文学の領域とはなりえない。なぜならその領域とは、冒頭より繰り返し述べたように、「未来に向かって向日的に生きるという、人生の本然的な要求に根ざすもの」であり、「理想主義的な人生の生き方や真・善・美をめざすもの」だからである。

現行児童文学は、現状の問題を鋭利にとらえていることに共感・共鳴しつつも、やはり「美を追求し、真実をみつめ、勇気を養い、正義を求める人間性」をどこまでも求めなければならないと思われるのである。

第二章　傑作を生んだ作家たち――『少年クラブ』の栄光

挿絵は『少年クラブ』の該当書より転載した。

『チャア公四分の一代記』

「チャア公」に込めた理想の少年

サトウ・ハチロー

少年小説というと、真っ先に思い浮かぶのはサトウ・ハチローであろう。それは彼の作品が、太陽をいっぱい浴びながら、口笛を吹き吹き野山や川辺を走り回り、あるいは横丁の路地を歓声を上げながら遊びに興じる、元気に満ちた少年像のイメージにぴったり重なるからである。そしてその動き回る舞台が現実の家庭や学校に材をとっていること、つまりきわめてリアリティに富んでいること、言い換えれば、子どもたちの日常に即した、その意味で身近な親しみをもてる、という点もあろう。

しかもそれらは、陽気で愉快な言葉の数々をもって描かれていることから、『少年クラブ』は、サトウ・ハチローや彼と並び称せられる佐々木邦らの小説を愉快小説、ユーモア小説と規定したのであった。

さてこのように書いてくると、サトウの作品は少年小説の典型として、いつまでも読み継がれてきたものかというと、残念ながらそうでないことは事実として認められなければならない。では、少年小説の代表的作家とみなされる彼の作品が、なぜ今日残っていないのだろうか。

それはまず、如上に描かれたフィールドが、今日急速に失われたことが挙げられよう。すなわち、野山や川辺を走り回り、横丁の路地で遊びに興じる少年が躍動する舞台としての野原や小川の急速な喪失という環境の激変である。またそこで登場する少年たちにしても、今日連れだって屋外で遊びに興じる姿はほとんど見当たらない。こうした環境の変化によることが大きいことは、一応いえることだろう。

だが文学作品の永遠性とは、そうした時代・環境の差異を越えて残るか否かが決め手であろう。つまりサトウの作品それ自体は、いまも残り得る要因が認められるのかどうか、である。

『チャア公四分の一代記』の問題点

これを探っていくため本稿では、サトウの戦後の代表作である『チャア公四分の一代記』という作品を見ていきたい。

その前に予め知っておきたいのは、サトウ・ハチローという人物の素性である。彼は言わずと知れた大衆作家・佐藤紅緑の息子で、中学時代は転校を繰り返し、落第三回、父から勘当されること十数回という掛け値なしの不良少年であったという。それをめぐるエピソードは限りないが、彼のそうした言動は、当時の立身出世主義への嫌悪や道学者風の大人たちへの反撥と表裏の関係にあったこともすでに指摘されてきた。

さて『チャア公四分の一代記』は、戦後のサトウが長篇愉快小説と銘打たれた『とんとんクラブ』と共に『少年クラブ』(一九五〇《昭和二十五》年)に書かれたもので、そのあらすじはこうである。

町内第一のいたずら小僧チャア公こと熊谷久虎は、はずみでよその豚をあやめてしまう。弱った彼は、友達のまじないの名人げんこつやメンチャアこと前島久子に相談するが名案がない。そこで訪ねた絵かきのオットット殿下こと安井のおじさんは、肖像画の注文を受けたが、注文主から頼まれた猫を探していた。入学試験の日、チャア公は試験場でその猫を発見。えらい失敗を重ねながらもなんとか入学したが、荒岩という先生に反対される。しかもその先生の訓示中に、チャア公のポケットのヘビを見て先生を転倒させるなど、事件があるたび彼のしわざとされた。

ところが二学期に入ると、彼に野球の投手をやれと先生が推薦。それはいままで、彼が真正直であることを見抜けなかったからだというのだ。いよいよ試合当日、なんとあの猫が現れ、チャア公はこれを仕留めて試合も勝利。大喜びの殿下は、これまでのチャア公を讃える絵の個展を開く。その絵を売り切ったお金で赤いネルが買え、皆はそれでつくったサンタの衣装をまとって街へ出た――。

さて、これは「愉快小説」と銘打っているのだが、如上の複雑なストーリーからわれわれはどんな印象を受けるだろうか。

まず、筋が二転三転しており、通して読むと甚だまとまりが悪い。全体を大きく分けると、Ⅰ．チャア公が豚をあやめて大弱りする。Ⅱ．親友に相談にいくが妙案なく、画家のオットット殿下に行くと、彼は猫がいないので探していた。Ⅲ．チャア公は進学するが、荒岩先生はチャア公は近所で評判のいたずら好きだ、とにらまれる。Ⅳ．ところが先生は、チャア公が実に正直であることを知り一気に好感をもつ。Ⅴ．他校との野球試合で投手のチャア公は、猫を見つけて球を当てて仕留める。殿下は猫が戻ったので、これまでのチャア公四分の一代記を絵にしたところ、これが完売してめでたく終る。

こうしてみると、Ⅰの豚事件の顛末はいつのまにか消え、Ⅱの殿下の猫探しに話が移る。さらにⅢになると、いたずら好きのチャア公の名誉回復に話が進む。このように話の焦点が次々に移るので、通して読むとはなはだ散漫である。また登場人物がやたらと多く、これもまとまりの悪い印象を受けるのである。

挿絵・河目悌二《かわめていじ》

そうした筋の散漫さ、人物の未整理もさることながら、なお大きな弱点は、チャア公そのものの人物像が生動していないことである。

すなわちチャア公の動きは、人物の内部から出てくるものでなく、まったく作者の説明によっているのである。その説明がまた、大変にくどくて煩わしい。彼に限らず、多数の人物の動きをつぶさに説いていき、それはたしかに面白おかしく描かれている。だからこそ愉快小説なのだが、その説明は技巧の限りを尽くし、これでもかこれでもかと言わんばかりに執拗である。機関銃のように繰り出されるゴロ合わせや駄洒落に作者の才は感じられても、読者はつきあうのに閉口させられる。いうなら作者ひとりが面白がっている分だけ、読者はシラけるのである。

同じ分野で、サトウと並び称せられるのは佐々木邦だが、彼の作品の末尾には教訓臭があり、それが気詰まりな感じを与える難がある。サトウはそれとは対照的に、ひたすらナンセンスなユーモアをもって描くのだが、作者が気合いを入れる分だけ、読者はついていけなくなるという背反関係にある。

このようにサトウは、人物の動きに語らせるのでなく、すべてこうした言葉遊びをもって説明してしまうため、作品そのものより作者が前面に出てしまっているのである。

『子守唄倶楽部』との相違点

ところが同じ作者でも、戦前の代表作とみなされる『子守唄倶楽部』ではそうなっていない。そのあらすじは以下の通りである。

菓子屋の娘のアイちゃんは店員の十どんと、口ぐせを言わないことを競う。その対策を友だちのともちゃんとねるが、それがつつぬけで負けてしまう。その十どんら仲間は小遣い銭を溜めていたが、近くの洋館に置き忘れてしまった。それを知ったアイちゃんらはそこに忍び込むが、泥棒が指輪を盗む現場に居合わせ、女中のネネちゃんの助けで屋敷を抜け出す。六ちゃんらの努力で、泥棒は孫七という者だとつきとめるが、その住まいには犬がいた。そこで彼らは一計を案じ、その犬を連れ出して隠し、彼が盗んだ指輪と交換するよう交渉する。ところが返された指輪は偽物で、犬を隠していた源さんも偽の犬をつかまされていた。本物の犬は、ある展覧会に出されており、ここでその犬の本当の持ち主のおばあさんと、そこに現れた孫七との争いになる。そこで親たちが交渉し、孫七は犬と交換に指輪を返す。しかし犬は、引き綱を切っておばあさんの所へ戻っていく。

以上、ここでも多様な人物たちが登場するが、うまくさばかれている。また筋も二転三転しているが、『チャア公』のように立ち消えの形にはなっていない。たしかに最初の口ぐせの件は消えるのだが、それはともちゃんの入れ知恵が店員につつぬけであったことを知り、彼女らはなんとか彼らの鼻をあかそう、というところで次に移る形なのである。

何よりもここに描かれる子どもたちは、皆生き生きと躍動している。人物の紹介は一応はされるが、それは最小限にとどめているから、『チャア公』のように作者の才をひけらかすような饒舌さは見られない。その人となりは、あくまでも彼らの動きをもって語らしめられているのだ。従って本話の読後感は大変楽しく、子どもたちの動きは好ましく受容される。作者が前面に立ちはだかり、登場人物はそのもとでコマを動かされている『チャア公』とは大きな相違がある。

本話全体の印象は柔らかいが、それは主人公のアイちゃん、ともちゃん、ネネちゃんが女児であり、女中であることも大きいと思われる。いったいサトウの少女描出がすぐれていることは、先学によって指摘されている。

…少年小説の作家が書く少女小説に傑作があるのは稀である。…サトウ・ハチローは、その稀な例外の人であった。(二上洋一「少年小説の系譜」《少年小説大系》別巻一三四頁＝『少年小説研究』一九九七年所収)

ちなみにこのことは、例えば『幼年クラブ』の『チコとボクチン』にもよく現れているように思う。

『子守唄倶楽部』が騒々しい『チャア公』に比べてぐっと落ち着いた感じを与えるのは、上述の言葉遊びや駄洒落がほどよく抑えられているからだけではない。その舞台が、昭和前期によく見られた町の風景が至るところで映し出されているからである。高橋康雄は、同じくサトウによる『おさらい横丁』の題名に象徴される「横丁愛」こそが、彼の奥底に脈うっている精神である、としている（『夢の王国』）。

例えば、十どんの奉公は菓子屋であり、アイちゃんが相談したのは提灯屋であり、六ちゃんのおじいさんが尋ねた先は時計屋であり、また犬をかくまっていた源さんは飴屋であった。さらに、西洋人の館に勤めているネネちゃんのために、アイちゃんがつくってあげた「信用ある店」の表には、牛肉店、鳥肉店、八百屋、乾物屋、煮豆屋、雑貨荒物店、洗濯屋等々が並べられている。これら日用生活品を扱う店々のリストを見るだけで、当時の町の雰囲気が立ち昇ってくる。また十どんの仲間たちも、酒屋、八百屋、文房具屋、床屋、魚屋など、これまた生活に欠かせない商店の小僧たちである。

つまりこの話にうごめく人物は、みな日常生活に密着した群像なのである。『チャア公』も現実の生徒たちを扱っているのだが、その範囲が学校に限られているのに対し、『子守唄』

はもっと身近な生活感あふれるものとなっている。『子守唄』の成功は、こうした地域に根を下ろした人物・社会を描いたところに根因があろう。

詩人としてのサトウ

ここまで、サトウが愉快小説、ユーモア小説といった領域の書き手であるという規定は、額面どおりには受け止め難いことを述べた。彼の美点は、なんといってもことばを縦横無尽に操れることである。再言すれば、それがほどよく配置されたのが戦前の『子守唄』であり、過度なくらいに行使されたのが戦後の『チャア公』であった。

こうした豊富な語彙と巧みな操作は、小説という形式ではわずらわしく感じられる危うさを伴うのに対し、そうした制限がなく、十全にその特質を発揮できるのが詩歌であることとは容易に肯けるであろう。

すなわち彼の本分は、断然少年詩にあるといえる。『少年クラブ』ではそれは毎月本文に載るのだが、巻頭には加藤まさをの詩があった。こちらは色刷りの口絵（これも加藤の筆）の扱いのため、一段上の重きを置かれているように見えた。

やっとできたが雪だるま、胸のマークはなんとしょ／背中にゃ50の背番号、今年の年号としゃれたんだ／目玉が白くておかしいが、ボールの目玉だ がまんしろ／たどんの目玉はざらにある、野球だるまのいいとこだ（「雪だるま」）

きょうは朝から野良に出て よいしょよいしょといもをほる すごい元気でいもをほる／一日ゆかいに働いて 肩を休めたあくる日は きっと、ちょうしが満点だ／弟がうたう応援歌 あすの試合は勝ったぞと 見あげる空にうろこ雲（「いもほり」）

しかしこれらは型にはまった調子で、あまり胸はずませるものがなく、比較しては悪いが、サトウのは格段に生き生きとしていた。

夏は水の子 はだかの子もぐって浮かんで 顔べろりん かりたて頭の 青坊主 水玉ついたぞ かっぱの子／すいすい泳げば 水すまし ひらおよぎなら かえるの子 ひとえのしならはやの子か 赤ふんちらちら ひごいの子／ターンの名人 かわうそで さわいでまわれば あひるの子 首をもたげて また入れて むぐっちょむぐっちょ かいつぶり（「夏は水の子」抄—昭和二十五年四月）

四月だ四月だ 新入生 姿勢正しくやってくる 四月だ四月だ 小さい蝶 昨日も見たぞ 今朝も見た

／ああそれよりも なによりも 四月がはっきり わかるのは キャッチボールで てのひらの しびれがなくなる そのことだ／ さらにグローブ ぬいだ時 その手に鼻を よせたまえ 指のねばりとあたたかさ 匂いの強さで すぐわかる（「四月だ 四月だ」抄）

サトウの詩がすぐれている要因は、題材を当時の少年たちの動き回るフィールドにとっていたのはもとよりだが（これは加藤も同じことだ）、一つには、上にみるような特定語の反復、対照語の配置の妙にあろう。

反復の方法は、クラシック音楽のモーツァルト、またポピュラー音楽のポール・アンカが一定のメロディを繰り返し続ける手法をとっているのと類似している。そこにリズムが生まれ、自ずと活気が醸し出されるのである。

もっともそれは他の詩人にも見られはするのであるが、サトウの場合、さらに彼自身の思い入れの投入のように感嘆詞（上記「四月だ」、下記「凧あげ」の傍線部「ああ」）が加わるのである。それらの一部を取り上げるだけで、他とまごうことなき独特のサトウ節が創出され、直ちに彼のものとわかるのである。

春夏秋とぼくたちが 野球をやったこの広場 霜にぬかるみグラウンドは いま凧あげのあそび場

だ。／「はなせっ。」と、さけんでたぐる糸 凧はぐんぐんあがってくああ、あのように、この空に 大きなフライが、とんだのだ。／打たれてやぶれた日を想い たのしく打った日をかぞえ いつしかぜんぶだした糸 残るは糸まきの竹の芯。（「凧あげの広場にて」―昭和二十五年一月）

こうしたサトウの反復手法を、彼は（意図的にか自然にか）小説にも用いていた。ただ小説の場合、それは詩のような一フレーズの繰り返しのようなわけにはいかない。それは、文章を重ねていく小説の場合、作者が前面に出て説明を重ねていく結果になってしまうのだ。

おとなの顔は大きく分けると、三種類である。丸いのと長いのと四角いのとの三つだ。丸いのにも、白丸、黒丸、赤丸があり、長いのにも、ひょうたん式、ラッキョ式、ヘチマ式、小田原提灯式などがあり、四角いのにも、重箱型があるかと思えば、将棋の駒型などという、すその方がいくぶんひろがりかげんなもの、うすい四角、あつい四角、さらに、左右の耳の下あたりがとんがって、四角というより六角に近いのもある。…

チャア公は首をかしげた。…先生の胸毛に、ごはんつぶがついているのが、ふしぎだったのだ。ごはんつぶは七つぶだ。…胸毛の七めしつぶなんていうのは、はじめてだ。二つぶは、すこぶる新しいめしつぶだ。三つぶは、すこぶる古い。かちかちにひからびついている。あと二つぶは中くらいだ。はだかになってめしをたべなければ、こうたくさんはつかない。（昭和二十五年八月）

ここには童心的世界の生起のしようがなく、才気は横溢するが、あまりの執拗さをもって受け止められるほかないのである。

よって『少年クラブ』における彼の本領はあくまでも詩の領域であり、こうした詩人サトウの面目は、少年詩のみならず他の作品（『おかあさん』など）と同様に発揮されているのであって、彼の『少年クラブ』における作家としての仕事は、それに尽きるとさえいえよう。

サトウの少年小説家としての功績は、昭和中期の町なかの様子を地盤に少年少女の日常を生き生きと描き、当時の活気ある風景を捉え得たところにある。しかしその活写は戦前までであり、戦後は言葉の遊戯に終始してしまった。

とはいえその特質は、戦後も少年詩や童謡（「小さい秋」）、歌謡曲（「リンゴの歌」）などのジャンルに一貫して発揮され、ここにおいてサトウの名を不朽ならしめた、といってよいであろう。

サトウの少年小説の復権

ここで想起したいのは、冒頭にみたサトウという掛け値なしの不良少年であったという閲歴である。このことを重ねていくと、『チャア公』に描かれた世界の意味ががぜん見えてくるであろう。

彼は町では、燕の子の胸にペンキでよだれかけをかけさせ、雄鶏のとさかに対抗すべく雌鶏の尾にリボンを結び、鳩の巣に鶏の卵を入れ、町じゅうの犬を森の中に隠すなど、その悪戯は度外れていること。また学校では、校医や生徒監をはじめ、並みいる試験官をおちょくるという不敬のかぎりをつくしていること。――これら武勇伝に事欠かぬチャア公は、まさに作者サトウの分身にほかならない。

ところが――こうした破天荒の言動が頂点に達した段階で、物語は急転回する。それはチャア公の学校の野球試合でO投手が負傷した代わりに、彼を推薦したのがなんと荒岩先生だったというのである。

Oの入院先で先生は、チャア公を絶賛する。遠足に行き、山の頂上のゆれる岩にニコニコしてチャア公が乗ったこと。同級生のSが大人の足をふんだとき、ふまれたその男はSやチャア公をなぐったので、男のあごにかみつき、あやまらせたこと。縁側や畳を水でぬらされたおばあさんがあひるを怒ったとき、チャア公はそれは自分だと名乗って、あひるに謝ったこと、等々。さらに先生は、彼がいつも難を逃れるのは、本当はよき少年なのではないか、と過去の行動を徹底的に調べた、というのが誤解を解いた理由だ、というのである。

しかしこのような急転直下は、唐突な感を否めない。話を強引に急転回させてまでして、作者サトウは何をしたかったのだろうか。それは、先述のチャア公がサトウの分身であることから解けてくるのである。すなわちサトウの実像は、

すぐ泣くような面もあったようだ。…厳格なリアリストの風体を人前にさらしてはおけないのであろう。…素顔は少年そのものであったがために、大人のハチローは少年的美質をバンカラ風にごまかすしかなかったのかもしれない。(『夢の王国』)

というものであった。だがサトウは、物語終わり近くに及んで、荒岩先生の口をかりて自分の本性を弁じたかったのではなかろうか。

チャア公は、かぎりないたずら小僧で、かぎりなき善良少年。世の中の人はチャア公のほんとうのすがたをごぞんじない。わたくしは、それがざんねんなので、ここにチャア公のありのままのすがたを25点ならべ、チャア公とはいかなる少年であるか、よく見ていただくことにきめたのです。（昭和二十五年十二月）

本話の最終場面でも、今度はオットット殿下に、同じことを言わせて締め括っているのである。作者サトウは、チャア公のような、限りないたずら好きながらも善良な少年たちに自分のかつての姿を重ね合わせ、そうした突飛な行動を受け入れるだけの包容ある社会の復権を切望しているのであろう。

その喪失の要因

本稿では冒頭に、彼の作品がなぜ今日残っていないのかとして、作品に描かれたフィールドが、今日急速に失われたこと。またそこで登場する少年たちの、屋外で遊びに興じる姿はほとんど見当たらないことなど、環境の変化によることが大きいことを挙げた。

同時に、以下のようなことも指摘されている。

サトウ・ハチローは、戦後も「チャア公四分の一代記」や「ジロリンタン物語」で作品を発表し続けた。しかしユーモアの要素と極く近いナンセンスを武器にしたまんがの出現に存在を脅かされていったのは、時代の流れとしては当然のことでもあった。(二上「少年小説の系譜」)

しかしサトウのような作品が読まれなくなったのは、環境の変化やメディアの変貌だけに帰せられるものではあるまい。はたしていま、チャア公のような人間が小説のような挙に出たとき、学校社会はそこに描かれたようなおおらかな受け入れ方をするかは甚だ疑問である。サトウが託した『チャア公』の読まれなさの一因は、このように息苦しくなった社会にも求められるのではなかろうか。

サトウは、ユーモアあふれる少年小説作家と、リズミカルな資質をもつ詩人としての両面を有していた。しかし自然や社会環境の激変により、活気ある少年群像を綴る条件が失われ、自ずと本来の詩人としての面が残り、今日に至ったのだとみられるのである。

『大迷宮』

みなぎる恐怖と戦慄

横溝正史

乱歩支持の要因

探偵小説というジャンルは、戦後は推理小説と呼ばれるようになったので、現在この呼称はあまり使われることはないが、そのなかで横溝正史は、江戸川乱歩と並び称せられる探偵小説の雄であった。

けれども今日、探偵小説として読み継がれているのは圧倒的に乱歩である。両者の生み出した名探偵は、横溝は金田一耕助、乱歩は明智小五郎であり、いずれも推理小説界、つまり大人のエンタメとして生き続けている。

しかし少年向けの探偵小説としては、ほとんど後者であろう。その要因の第一は、「少年探偵団」と銘打ったシリーズがいまだに読み継がれていること。つまり小林少年というキャラクターの存在による。明智——小林に対決する仇敵は、怪人二十面相である。

そしてこの両者だけの対決構図を軸とした〈少年探偵団シリーズ〉は、第一作以来手を変え品を変え延々と続き、初めは十作、さらに二十作まで続き今日まで読み継がれている。

乱歩だけが寿命を保っている要因の第二は、こうした単純なパターンを徹底させたことも挙げられよう。

そして要因の第三は、〈少年探偵団シリーズ〉が、メディアに取り上げられてきたことである。これはまずラジオでドラマ化され、「ぼ、ぼ、ぼくらは少年探偵団」で始まる主題歌は、誰しも口ずさめ今日に至っている。そしてこの歌に乗って、早くから映画化もされてきた。

大人気を博したこのシリーズは、どこで読まれてきたのか。初めは『少年クラブ』に連載されたのだが、筆者の記憶では単行本になってから、当時隆盛であった貸本屋においてであった。そして教室の隅に《学級文庫》として置かれてもいた。これらは、入れ替わり立ち替わり、引きも切らず読み継がれていた。

こうして少年たちを熱狂させた〈少年探偵団シリーズ〉であるが、しかしその内容密度はどうであったろうか。たしかにその舞台装置は、あるときは鋼鉄の巨人、あるときは透明人間、そしてあるときは妖しげな博士と多様である。だが読み進むにつれ、そうしたカモフラージュは、種明かしされれば他愛ない代物であり、そして何作目になっても、犯人はいつも怪人二十面相である。（探偵の仇敵が同一人物であるのは、ホームズ物のモリアティを想起させるが。）このシリーズが映像化されやすかったのは、上の事情によるとも思われる。

徹底した虚構性

ここでしばらく、世評高い乱歩の探偵ものを一瞥しよう。おなじみの怪人二十面相が登場するものだけでも二十五篇もあるが、すぐれているのは戦前の第一作「怪人二十面相」、第二作「少年探偵団」それに戦後初の「青銅の魔人」とされている。

少年向けの探偵小説に限っていえば、横溝正史論がわずかなのに対し、江戸川乱歩論は著しく多い。それは全集で四十六巻にもなるほど、戦前から今に至るまで読み継がれている実績からであろう。そして斯界の評者たちは少年時を振り返り、当時はあちこちの野原や山川で格好の隠れ家となるものがあり、少年探偵団の動きはまさに自分たちを投影するものであったからだと思われる。

七つ道具をそろえることを夢見、通信販売で買った〝少年探偵手帳〟をポケットに入れ、探偵団ごっこに日々明け暮れたという恥しい過去。だが、当時多くのそうした子供達がいたはずである。（米沢嘉博「二十面相と子供達」『ユリイカ』昭和六十二年五月）

しかし同時に、少年探偵団ものは現実からは得られぬ、空想世界における遊びであった。…物語のシチュエイションは、学校生活や、家庭生活とは無縁のところで展開する。…子どもごころにも小林少年は学校の授業をどうしているのだろうと思ったことがあるくらい、学校のイメージが希薄だ。（大田克彦「少年探偵団の大人性」『ユリイカ』昭和六十二年五月）

そうした、現実から隔絶された虚構の世界であることを弁えていたからこそ、少年たちは、この二十面相が決して人を殺さず、美術品ばかりをねらう義賊であることに喝采し、また奇怪な魔人に変貌もする彼に震撼した、というわけであろう。そして、その怪人と対決する名探偵明智小五郎との知恵比べがまた、大きな魅力であったに違いない。

けれどもそうした非現実性、虚構性ゆえに、

関心もなく過した〔者は〕かりに眼に触れたとしても、その当時には却って幼稚すぎ子供っぽすぎて、到底読み通すことは出来なかったに違いない。（中井英夫「江戸川乱歩解説―孤独すぎる怪人―」《少年小説大系》昭和五十二年）

と言えたし、二十三冊でいったん打ち切ったものを、版元から乞われるままに四十六冊まで引き延ばしたがゆえのワンパターン、同工異曲を免れなかった。またどんな異相のパノラマといえども、その手法は種明かしをすれば、何だこんな手品だったのかとがっかりさせられる。

例えば、「青銅の魔人」をみよう。これは、

…月光に照らされた銀座街頭を、歯車の音をさせながら、たくさんの海中時計をぶらさげて、機械人形のように歩く青銅の怪人物の出現から始まっている。身体全体青銅の仮面に包まれているかと思うと、犬のように四つんばいになって走り、煙のように消えうせてしまう。(前同)

ところがこれは、機械仕立ての鎧に人間が入っているし、時には腹の中まで歯車を入れた替え玉をあやつり、はてはゴム人形を空気入れで大小にさせる、といった具合である。二十種に余る怪人の類は、すべてこうしたトリックである。

大人の目による評価

先述のような類の種明かしが、ばかばかしく映ってくるのは理の当然である。しかし、

ある時期から乱歩の二十面相ものが大人にも注目されるようになった。それは中井英夫らの評価である。

…ここでも世田谷区のはずれの、さびしいところに住む平野少年がおとうさんに連れられて（中略）夕方の散歩をしているときの描写が、他の何にもましてすばらしい。
「……電燈のひかりと、空のあかるさが、ちょうど同じくらいという、あの、なんとなく、へんな気もちのする時間でした。すれちがう人のすがたが、ひどくぼんやりして、影のように感じられる、たそがれのひとときです。」
たったこれだけのことだが、こういう一節のほうが、あるいはどれだけ当時の少年の怯えと共鳴し合ったかと思われるのだが、…（前同）

つまり彼らは、乱歩の耽美的な卓抜さが『少年クラブ』にも見出されることを特筆したのであった。しかしこうした評価は、あくまでも大人の目によるものである。

さらにここで問うべきは、こうした昼と夜の境目もわからぬ夕闇というものは、いまも存在し得るであろうか、ということである。都会では早くからネオンがまたたき、地方でも急速な都市化に伴い、現在では見出しにくいのではなかろうか。

そうした環境の変化でいえば、中井も指摘する「原っぱ」の喪失もある。〈少年探偵団シリーズ〉は、この原っぱが不可分の舞台である。人里離れたそこに二十面相が出没し、少年を連れ去るという装置だからである。

以上により乱歩の今日に存するのは、少年サイドでは、定型化した善悪人物の対決というわかりやすく、またそれを視覚化したメディアの採択によること、大人サイドでは、少年時の環境へのノスタルジーによることが指摘できると思う。

「大迷宮」の構成

ここまで乱歩の少年文学におけるありようを述べてきたが、それは以下に述べる横溝正史のそれを対比的に取り上げたかったからである。

前述のとおり正史は最盛期には乱歩に劣らず読まれ、度々映画化もされたのだが、いつの間にか忘れられる存在になってしまった。その事由は他日に譲るとして、そうした過去の存在と化しつつあった彼が、がぜん脚光を浴びたのは、角川映画『犬神家の一族』であった。これは他の角川作品と同様、美麗な映像、センスあふれる造型により、現代にマッチした製作づくりとして大ヒットした。これにより金田一ものが連続して、蟄居していた作者本人も思いがけないほどのライトを浴びることになったのだった。

しかし、これら一連の作品はおどろおどろしい世界であり、乱歩の耽美的趣向とも重なるものであった。すなわち、長い係累を持つ旧家に繰り広げられる複雑な人間同士の葛藤劇であり、辺境においての骨肉相食むドラマである。

少年向けの探偵小説が、これらと峻別される一大特徴は、上記のような血なまぐささが生じておらず、自ずから健康性が保たれることである。

人物の構成

では彼ら探偵小説の雄は、どのように作品を展開しているのであろうか。正史の傑作『大迷宮』を、乱歩の探偵団ものと比較しながら具体的に追ってみよう。これは『少年クラブ』に、一九五一（昭和二十六）年からの一年間にわたって連載されたものである。

『大迷宮』の人物をめぐる構成は、以下のとおりである。

世界的なサーカス王の鬼丸太郎は、十年前、何億円もの大金塊を瀬戸内海の島の大迷宮に隠していた。彼はその迷宮の扉を開ける三つの鍵を、三つ子の兄弟・剣太郎、珠次郎、鏡三の体に縫い込めた。この秘密をかぎつけた弟の次郎（鬼丸博士）は、奥多摩に居をかまえ、一寸法師の音丸、教師の津川先生を部下にして、次々にこの子らを襲おうとする。

この事件に巻き込まれたのが、立花滋、いとこの謙三で、彼らの策謀を解き明かすのが金田一耕助、助力するのが等々力警部である。

この話が進行するなかで、怪獣男爵が現れる。彼は古柳男爵という華族で世界的な生理学者だった。その彼は、急死した人体から優れた脳を抜き取り、並はずれた肉体に移し替える発明をした。そして古柳が悪事のため死刑になったとき、弟子に命じて、ゴリラのような怪人間に脳を移植させ成功させる。それが怪獣男爵で、自分を死刑にした世間に復讐しているのだという。

こうした物語のなかで、秘宝をねらう男爵、その宝を守ろうとする鬼丸太郎、その争い間に起こる事件の謎を解いていく金田一と立花らの人物が介在されるわけである。

物語の構成

以上、物語の流れはかなり入り組んでいるが、全体の構成を場面ごとに区切って見ていこう。

第一部は、軽井沢。滋と謙三が迷い込んだ館には、鬼丸博士、津川そして剣太郎がいた。

剣太郎が持つ第一の鍵がねらわれるが、これを防ごうとする滋らは眠り薬をかがされ、起きたときには別の館に運ばれていた。金田一の推理で三つの館があることが分かるが、そのなかでどくろ男が現れる。

この出だしにおけるサスペンスは、以下に詳述するように、横溝作品の中でも白眉であろう。雷雨を逃れて飛び込んだ洋館という、限られた空間の中で次々と目にする出来事。汽車で見た人物たちの素性は？ 剣太郎のいうもう一人のぼくとは？ 剥製とおぼしきゴリラの動き出し。寝室の天井の落下そして空家の発見——。

めくるめく出来事が展開されたところで、名探偵金田一が登場する。彼は同じつくりの館が3軒あったことをつきとめるが、あとはすべて宿題として次に移る。

第二部は、上野の博覧会場。ここで登場人物が勢ぞろいするが、だれが敵か味方か分らぬまま進行する。冒頭で面を売る一寸法師から、サーカス団長が天狗面を、部下の万力がひょっとこ面を買ってぶらつく。剣太郎とそっくりの少年歌手珠次郎が持つ第2の鍵を、津川らがねらうが、そこにどくろ男が現れて珠次郎をさらい、軽気球で連れ去る。

ここでは、どくろ男が現れて少年をさらっていくところなど、群衆監視の中での事件の盛り上げ方が際立っている。

　この騒動が一段落したところで、等々力警部が調べ上げた一連の人物たちの過去が明かされる。そこからの第三部は武蔵野に移るが、そこの描写は「武蔵野の原っぱにある」「きみわるい洋館」で、第一部冒頭と酷似しているが、どちらも乱歩の探偵団もの――昔は「まっくらな原っぱ」だったという戸山ヶ原（現在の高田馬場と新大久保の間）や代々木の雑木林――を想わせるシチュエーションだが、ここの頂上に「人とも獣とも」つかぬ者が現れているという。

　このあと主要な人物たちが交互に現れ、敵味方が明確になる。第三の鍵を持つ鏡三が見つかり、鍵の在処を問われた鬼丸次郎博士は殺されていた。ここで等々力警部らから、怪獣男爵が三つの鍵と金塊をねらっていることが明かされ、あのどくろ男は、なんと苦しめられた鬼丸太郎のなれの果てであった。

　そして第四部となる。滋たちはだまされて船に押し込められるが、一同は東京湾からいよいよ迷宮島へと移る。ここで全員が島に入るが、精巧なつくりのため鍵の使い方を誤った男爵は二度と出られぬ迷路に迷い込む。そして滋たちは、ついに黄金に輝く阿弥陀像にたどりつくのであった。

「大迷宮」の迫真性

以上、物語の流れを追ってきたが、以下、いくつかのヤマになる場面の描き方を見よう。読者は、開巻早々からぐいぐいと惹き込まれていくこと必定である。

舞台は避暑地で、自転車の遠乗りに出かけた滋と謙三が雷雨にあって道に迷ったときに、眼前に見かけた洋館に飛び込むところから始まる。

…夕だちはなかなかやむけしきもなく、…そのときでした。さっと光るいなずまと同時に、「あっ、あそこに家が見える!」…それからまもなく、またもや、さっと青白い、いなずまの光が地上をはいていきましたが、滋君はその光のなかではっきり見たのです。右の小高い丘のうえに、洋館が一けんたっているのを…。滋君は…なんともいえぬきみわるさに、ゾクリとからだをふるわせたのです。…それは古めかしいれんが建ての洋館でしたが、かべいちめんにはったつたの葉が、ザワザワと風にざわめいているのが、なんともいえぬぶきみさです。

(昭和二十六年一月)

人里離れた場所に自転車に遠乗りに出かけて雷雨にあう。その暗い中、雷光に照らし出された異様な建物にたどりつくことはじっさいありそうなことである。

こうして家に入れられるのだが、そこには以前サーカスから連れ出されたとおぼしき少年（実は剣太郎）と、彼を連れ出したらしいちぢれ毛の男（実は鬼丸次郎男爵）らがいた。男は、この子は時々変なことをいうから気にするな、と言う。はたして夕食時に彼は、

「…この家のなかに、もうひとり、ぼくと同じ人間がいるんです。…夜中にふと目をさますと、だれかが上から、ぼくの顔をのぞいているのです。それがぼくでした。…月の光ではっきり顔が見えたのです。…一度は、ぼくがふろへはいっていると、窓の外からのぞきました。そのつぎは、居間で本をよんでいると、ドアの外を通ったのです。…」（昭和二十六年新年号）

この少年こそは連れ出された鏡三なのだが、そのときは誰もわからぬままに、物語はなおも進む。二人は、動物の剥製が並べてある部屋に案内されるが、その大広間には、動物園のように多数の鳥やけものがうずくまっていた。そして滋は、その中のゴリラの目玉がギロリと動いたような気がしたという。

このように、二人が館内に入ったときから世界が変わる。それも、人物や置物の存在はあり得ても、召使いの様子、居並ぶ剥製の数々が異様であることから不気味さを醸し出す。しかも、もはや外には出られぬという限られた空間からいっそう恐怖に陥る、という巧み

な構成なのである。さらに恐怖がいや増すのは、次のところである。

…滋君は、まだなんとなくおびえた気持で…きみのわるい動物の剥製を見てまわりました。…滋君がふいに、あっと小さいさけび声をあげたので、ふたりはびっくりしてふりかえりました。…「いま、あのゴリラの目玉が、ギロリと動いたような気がしたんです。」(同)

これは谷崎潤一郎の『少年』という作品のなかで、密室に置かれた剥製の蛇の目が動いたように見えた、という設定と酷似しており、恐怖感を出すのに定型化された方法といえるかもしれない。

その夜、滋は寝付かれなかった。すると――

…滋君は、ふいにはっといきをのみました。階段をあがって、だれやらこっちへやってくる。しかも、ああ、その足音のきみわるさ！　…しかもその足音が、滋君たちのへやのまえで、ぴたりととまったではありませんか。滋君は全身から、滝のようにあせがながれるのをおぼえました。…その足音がドアのまえをはなれたせつな、滋君は…ドアをあけて…てすりのすきからそっと下をのぞきましたが、そのとたん、全身の毛がさかだつような恐怖をおぼえたのです。

挿絵・富永謙太郎

おお、なんと、階段をおりていくうしろすがたは、ゴリラではありませんか。……（同）

階段を上がってくる足音の恐怖は、エドガー・アラン・ポーの『アッシャー家の崩壊』を思わせる。しかもゴリラは、剣太郎の寝室の様子を窺っていた。彼が危害を加えられはしないかと、滋兄弟が部屋に入ると、なんと上から天井が下がってくる！　あわててベッドのふちに青銅の像をあてがい難を防いだが、何者かに背後から襲われ眠り薬をかがされてしまう。……

あり得る世界の恐怖感

こうした不可思議な出来事を次から次へと息もつかせずたたみかけるのは、正史の誇るべき手腕である。これらの謎ときは物語を進めるなかで、少しずつ明かされていくのだが、そこまでに読者は巻を措くことができない。『少年クラブ』は月刊雑誌であるが、掛け値なしに次号が待たれたことであろう。三月号の読者欄に「ぼくは探偵小説がすきで、いままでいろいろの小説を読んだが、大迷宮ほどおもしろいものははじめてだ。」とあるが、まさに実感であったと思われる。

このように『大迷宮』は次々と思いがけぬ展開を見せていくのだが、それはあり得ないことではないが異様であることからくる恐怖感であり、どこまでも現実性の一線は保たれている。現実と非現実の微妙なバランスのうえに描かれる恐怖感といってよいであろう。乱歩の〈少年探偵団シリーズ〉はそうでない。鉄人とか妖怪とか、現実にはあり得ない化け物の類である。そしてそれらの一つ一つは、実は二十面相の小道具であったことが明らかになってきて、まともに読み進めた者は、鼻白む思いをさせられるのである。

こうした小道具立ての結構は、乱歩に限らなかった。当時は、探偵小説の単行本も多く出されたが、どれも類型化されたものであった。またタイトルからして「七色の目」とか「笑う仮面」とかいう大仰なものであり、加えて、それを描いた挿画も不気味さを助長させていた。

それらの代表的作家は、例えば島田一男であったが、乱歩、正史、一男いずれも大人の世界では、推理小説の評価を確立した作家群であった。だから彼らが少年向けの探偵小説に手を染めたのは、乞われるままに応じたにすぎぬ、本命から外れた余技であったかもしれない。

しかし乱歩、一男らのそれは、先述のように、一度あばかれるとからくりが明るみに出る。そこで読者は、ホッとする結果になっているのだが、筆者などは、途中までさんざん脅かされた挙げ句のことだけに、白々しさを感じたものであった。それらは、少年読者を軽く見ていたと言わざるを得ないのである。

その点正史の作品は、そうしたこけおどしに陥らず、一定のリアリティをもって、上記のようにぐいぐいとストーリーを展開させていく。そしてツールや情景設定にもこと欠かず、軽気球からのパラシュート、雑踏の公園、洞窟の中の迷路など、空間的にも縦横に配置され、読者を飽きさせないのである。こうした手法は、西欧におけるそれまでの推理小説から一線を画したコナン・ドイルに通ずるものがある、といってよいであろう。

複雑に入り組んだ現代社会における少年たちは、如上の結構に興味を示さないかもしれない。とはいえ、現代でも乱歩作品は図書館にズラリと並んでいる。ところが正史のものは見られない。それは乱歩作品の内容が、善玉を明智―小林、悪玉を二十面相と明瞭化したこと、明智の助手に小林という読者と同世代の少年をすえ、かつ探偵団として規定したこと、またこれを大量生産化したので、廉価で入手しやすかったことなどが挙げられよう。

これに対し、正史作品は、善玉は金田一―滋であっても、悪玉は毎回違って連続ものにしづらかったこと。また、滋は小林少年ほど個性的存在ではなかったこと。つまり、乱歩のシリーズは商業ペースにのりやすい条件が備わっていたのに、正史のものにはそれがなかったのだ、といえよう。

しかし大人の読み物としての金田一像は定着し、今日に至っている。また上記のような要素を活かす『大迷宮』のような波乱万丈の物語を広めれば、少年小説としても正史作品を浮上させる要件はあると思われる。

少年探偵小説の多くは、異人・怪人を登場させ、また小道具を頻用して読み手を震撼させようとしている。しかし『大迷宮』は、犯人が工夫に工夫を重ねて探偵をケムにまく頭脳戦である。ここにも異人・怪人の類は登場するが、そのおどろおどろしいルーツをたどっていく探偵の冷静・沈着な展開は、現代における少年たちをも心躍らせるに充分なものを有していると思われるのである。

求められる正史の再評価

再言すれば乱歩作品は、①異空間を前提としていること。あるいは②一定の美意識によって照射していること、が指摘できる。しかるに正史の『大迷宮』は、こうしたトリックは用いておらず、現実に実感できる状況を基としており、老若を問わずサスペンスをわきおこす点で隔絶したものといえよう。

なお先の、小林少年はいつ学校に？　という苦笑を誘う疑問は先述のように出されているのだが、『大迷宮』では、次のような記述がある。

…夏休みもおわりにちかい…ちょうどそのころ、滋君は、あらかじめきめておいただけの勉強はすましていたし…軽井沢へ遊びにいくことになりました。

滋君にしろ、謙三にいさんにしろ、…学生であるからには勉強がだいいちです。鬼丸博士や剣太郎少年のことが気になりながらも、ふたりとも勉強のほうがいそがしくて…（昭和二十六年五月）

両話の違いの一端を示す材料として、引用した次第である。

＊

さて、このように優れた作品を生み出した正史ではあったが、続く『金色の魔術師』では、映写機を使って怪物像を逆映しにしたり、『大宝窟』では、ゴム人形を用いて、都会に大クモを跋扈させたりと、乱歩と変わらぬトリックを使い出してしまった。トリックの使用は、こけおどしでなく必然性が認められねばならない。そうすることによって真実感が醸し出され、バカバカしさのない大人の作品に通じるものとなるのである。

横溝正史の少年探偵小説の傑作は、『少年クラブ』ではついに『大迷宮』一作にとどまってしまったのであるが、見てきたような特色と方法はおおいに再吟味してしかるべき、と考えるのである。

『魔女の洞窟』
ふしぎな洞窟をめざす列島縦断

久米元一

幅広く旺盛な執筆活動

久米元一は、大正から昭和にかけて幅広く活躍した作家であるが、今日ほとんど顧みられていない。その事績についても『近代日本文学大事典』と『日本児童文学大事典』のほかに詳記されているものはなく、以下の経歴はもっぱらこれらに負うものである。

久米元一は大正末期頃より、童話雑誌『金の星』に創作を応募し入選した縁で同社に入り、編集の傍ら童話を手がけそのままプロの作家となった。その間の旺盛な執筆活動はまことに目覚しい。その全著作数は、「久米元一著作年表抄」（秋山憲司、『文学と教育』文学と教育の会、二〇〇一年六月）によれば実に三百三十六点に及ぶ。しかもそのレパートリーは広範にわたるが、便宜上、下表のようにジャンル分けしてみた。（これはタイトルのみによる判別であり、また翻案、再話、創作の区別はしていない。なお、戦後（昭和二十年八月〜五十一年一月）の作品に限定した。また表中の（…度）は、同じ作品の掲載回数を示す。

冒険もの：五十三階目の冒険、古城の怪宝、怪傑アラン、七つの怪星、魔女の洞窟、南海の快男児（三度）、魔の特急列車、魔境の王者、その連結器をはずせ、火焔魔人、黄金魔城、皇帝ダイヤ事件、悪魔のセレナーデ、恐怖島、魔王のダイヤ、湖底の王冠、絶海の女王、覆面皇帝、海賊船イーグル号（二度）、鉄の魔人、太平洋魔人（二度）、謎の黒馬車（二度）、暗黒城の怪宝（二度）、恐怖の紅ばら（二度）、南海黄金島（二度）、最後の地獄船（二度）、なぞの黒姫山（二度）、悪魔島（二度）、どくろ仮面、怪光線X号、燃える鉄仮面、大雪山の怪盗、白鳥団の秘密、なぞのくろねこ、恐怖の0・45、死神博士（二度）、悪魔の紋章、氷獣ドライス、宇宙空挺団、黒い0人間、ぬすまれた花嫁衣装、深夜の恐怖、影なき怪盗、悪魔のダイヤ、ブナ屋敷の怪、地底恐竜テロドン、青い怪光線、奇岩城、ポパイと地底の王子、アタック！ポパイ、ポパイ魔の海へ、ウルトラ怪獣とポパイ、ポパイと四次元の犬、とびだせ！ポパイ、宇宙飛行士ポパイ、ポパイと透明人間、深夜の怪盗、Z光線の秘密、悪魔のサイン、地下牢の貴婦人、赤い文字の秘密、消えたスパイ、六つのナポレオン

探偵もの：紅ばらの秘密、もりのめいたんてい、白髪鬼、恐怖の仮面、怪魔博士、黒魔団、仮面魔、超々人ロボット、天智探偵の活躍、覆面探偵、名探偵ホームズ、恐怖の谷（二度）、四つの署名（二度）、モルグ街の怪事件（二度）、呪いの魔犬、恐怖の仮面、美しき魔人、密室の怪事件、夕日が丘の怪事件、ハートの7、死神博士、恐怖の金庫室、ミイラ館の謎、赤毛クラブの秘密、恐

怖の4、人くい沼の魔犬、なぞの二重底事件、黄色い顔、ジキル博士とハイド氏
名作もの：宝島、三銃士（三度）、水滸伝、ああ無情、大勇士オデッセイ、覆面の勇士、たから島、アリババと四十人の盗賊、王子とこじき、家なき子、イギリス童話集、八十日間世界一周、
民話もの：日本昔ばなしシリーズ（四回）、佐渡の狐
児童読物：空き腹村、お山の五郎ちゃん、鼻なしジャン、五郎ちゃんのおみやげ、ドナウ河のさざなみ、別れの白薔薇、謎のランプ、箱の中のるり姫、パチンコ太郎の冒険、六ちゃんと赤い櫛、夕空晴れて、ロッキーの勇少年、超人ロボット、父のラッパ、こいぬのゆくえ、おおかみとうさぎ、はなの小人、かえらぬおじいさん、のらいぬくろちゃん、はげパンものがたり、一本足の兵隊、たこさんとめがね、空中ドクター、謎のサインボール、覆面投手、愛の大冒険、おおかみのおいしゃさん、わんたろうのぼうけん、わんわんせんせい、けんたのぼうけん、消える球団、ゆかいなくまさん、十三才の時計師、赤い白鳥、こぶたのぶーちゃん、波丸とさんご姫、いたずらおさる、魔法の黒ねこ（三度）、黒い白鳥、大平原の少女、てつのゴリラ、ももいろのダイヤ、のら犬ごろちゃん、のんきなのんちゃん、たおれた馬と日本人、わんきちのぼうけん、ぼうけんきょうだい、きんたろうのぼうけん、うみのおおかみ、おとうさんをたすけに、つよゆみ三郎、くまたろう（三度）、女王のかんむり、まほうのくろねこ、あべこべきょうだい（二度）、大力五郎丸（二度）、しんぱいしんちゃん（二度）、ぽんちゃん（二度）、にん

ぎょうのひみつ（二度）、はやぶさ太郎（二度）、王女のたから、ぴょんたろう、こねこのみけちゃん、こぐまのくろちゃん、ロケット五郎、ちゅうたくんの冒険、白鳥のゆくえ、星の子トミー、くるぞ！援軍、1・2の3ねんものがたり、らいおんせんせい、うたえぬカナリア、子ねこのみけちゃん、こぞうのぱいぽちゃん、おんぼろ大将、やくそくのホームラン、愛の天使、なみだのペン、ライオンのおんがえし、アルプスの名けん、おかあさんのずきん、心のおくりもの、なんにも知らないおかあさん、王子さまとしきもの、ぞうのはなはなぜながい

伝記もの：パスツールのふしぎなランプ、ゴリラを発見した人、童話の父アンデルセン、英雄ペルセウス、ひよしまる、少年太閤記、少年源為朝、むてきべんけい、光をもとめて、リンカーン，

劇：歌えぬうぐいす、ていぼうを守った少年、ナイチンゲール、少女アンネの悲しみ、走れ！白いオオカミ

以上おびただしい分野にわたっているものの、一見して明らかなことは、冒険もの、探偵ものが群を抜いて多いことである。また、児童を対象にした児童読物も格段に多いのは、童話雑誌を主力とした出版社に在職した関係から当然のことであろう。

『魔女の洞窟』にみる技法

『近代日本文学大事典』では、久米は「第二次大戦後は、エンタメを主眼とする少年少女小説を数多くの月刊誌に連載。いずれも冒険・推理小説だが、変化のあるストーリーとテンポの早い文章で好評を得た」とあるが、このことは上記の分類によっても了解されよう。なかでも構成その他の点で、特にすぐれているとされるのが『魔女の洞窟』であり、これは昭和二十五年五月〜二十六年六月まで『少年クラブ』に連載されたものである。

ここでは本話を取り上げ、久米の技法がどのようなものであるかを、筋を追いながらたどってみたい。

＊

本話は、北海道の沙流川上流の洞窟に住む魔女が、伝染病によくきくというふしぎな土を持つというので、湯島博士らがそれを探しに行く物語である。ところが、洞窟内の砂金をうばいとろうとする北斗星団なる怪賊の一味とぶつかり、父の博士に同行した武男、あや子、大東青年らが死闘を重ねながらようやく目的をはたす、というのが一篇のストーリーである。

この大要だけからも、東京から北海道に飛ぶ舞台の広さ、科学者対賊徒という善悪の構図によって、少年を引き付ける冒険小説の資質を備えているが、加えて登場人物の多彩さが躍動感を高めている。
この物語を大きく三部に分けて、さらに点検してみよう。

人物配置の妙と素早い場面転換

第一部は、博士らが北海道に向かう途中で北斗星団とぶつかり、ひとまず東京に戻るまでである。

北海道のアイヌの魔女ピリカばあさんは、どんな病気にもきくふしぎな土を持っているという。細菌学者の湯島博士は、この土から伝染病を治す放線菌を発見しようと、武男とあや子をつれて北海道へ渡った。三人は紗流川の上流まで進んだ。その途中、洞窟内にある砂金の山を奪おうと企んでいた怪賊北斗星団と正面衝突してしまった。

洞窟への道順を示す秘密の地図を記した熊の爪は、あや子の胸に下げたアイヌ人形の中に入れていたので、なんとか彼らの目をくらますことができ、一行はひとまず東京に引き上げた。

ある日競輪大会を見物に行った武男とあや子は、ポントウというアイヌ青年を助けて連れ帰った。しかし彼は怪賊の一味で、博士の研究室の鳩時計の中にサソリを入れて博士を毒殺しようとしたが見破られる。彼は助手の大東青年に取り押さえられるが、逃亡してしまった。

ここではまず、博士の一家らに対し、彼らの行く手を阻む怪族が配される。博士の子に読者層と同年である武男とあや子を配して親近感を持たせ、また博士の助手に、柔道三段で拳闘選手という大東青年を配して、悪漢に対抗し得る頼もしさを持たせている。はたして、湯島家に入った怪族の一味ボントウとは肉弾戦となっている。

…まひるのような光の中に、ボントウが小刀をにぎったまま、らんらんと目を光らせている。とみるまに、ひらりと博士めがけておどりかかった。「あっ！」武男は思わず、恐怖のさけびをあげた。が、大東のほうが、一あし早かった。…と、みるまに、とくいのはね腰——みごとにきまって、ボントウは、ドタリと地ひびきをたてて投げだされた。（昭和二十五年七月）

ところで本話は、北海道の魔女ピリカばあさんだけでなく、当地の案内者ホッケも、また競輪選手ボントウもアイヌ人というように、多様な民族を登場させることで、冒険ものとしての物語をいっそうドラマチックにしている。

しかしこうした人物配置の妙もさることながら、なんといってもスピーディな場面転換が引きつけられるところである。第一部の梗概をさらに詳しくたどってみると——

――一行は地獄谷に入るが、そこでクマに襲われて絶命したハンターから、ピリカの洞窟を示す道順が刻まれた熊の爪を得る。そこに北斗星団の副団長が現れ、博士の一撃で難を逃れるが、改めて乗り込んだ汽船にまた怪族が現れ、爪を奪われてしまう。（それは贋物で、本物はあや子の胸飾りに隠されていた。）一方、助けたアイヌ青年のポントウの父と称する老酋長が博士宅に現れ、薬の水を渡した。そこにはサソリが入っており、ポントウはそれで博士を毒殺しようとしたが、大東と格闘のすえ逃亡する。――

このように場面は、地獄谷―汽船―博士宅、人物は、地獄谷でのハンター―盗賊団―老酋長親子―、そして小道具は、爪―サソリ…。とこのように、三ヶ月間における場面、人物、小道具が目まぐるしく転換して、読者を飽きさせないのである。

著しい場面転換と活劇

第二部の大要は、以下のとおりである。

湯島博士は有名なアイヌ学者に会うため、再び三人で発つ。だが予定した特急つばめの車中で両博士が会話中、列車が鉄橋にさしかかったとき、突如、展望車内に怪事件が起こる。女装して列車に乗り込んでいた北斗星団の副団長雌阿寒が、非常報知器で列車を急停車させて一団が一行をおそい、ポントウがあや子を奪ってしまった。

怪族団は、娘の命と引き換えに、熊の爪を三原山の噴火口近くまで持参せよ、と要求。博士は武男と大東をつれて伊豆大島へ渡った。そこで老漁夫から、少女がヨットで蛇島に乗せられるのを見たと聞き、式根島の東方にある蛇島へ乗り込んだ。博士、武男、大東青年、それに助力する漁師善助と子の敬太らの一行は、島の内部の洞窟を発見し、船を乗り入れた。

しかし武男と大東青年は賊の奇計におちてしまった。だが武男は単身、賊の隠れ家に忍び込んであや子を発見。洞窟の地図はまだ守られていた。一時は無事に救い出したものの再び団長の奇計におち、あや子は島から連れ出されてしまった。博士一行は、善助の舟でヨットに追いつこうとしたが、船底の栓が抜かれて船は沈没し、あやうくマグロ船団に救われる。

ここでの人物配置は、途中から漁師善助と敬太が加わり、場面はさらに目まぐるしく転換する。

博士が北へ発った車中で、女装の怪族の副団長が正体を現す場面が最大の山場である。副団長は列車の手すり伝いに屋根の上にのぼり、追いかけた博士と応戦中、残されたあや子がさらわれるまでは、映画の活劇を見るようにスリリングである。

雌阿寒は…ひらりと、展望車のやねの上におどりあがってしまった。…博士は、こうさけぶと、さっと、やねの上におどりあがった。…武男は…てすりにのぼって、やねの上を見わたすと—仁王立ちにつっ立った雌阿寒の手には、きらりと光るピストルがにぎられている。…ピリピリッと、呼笛を吹き鳴らした。…「あれ、たすけて！」あや子のさけび声——。（昭和二十五年八月）

そして、さらわれたあや子を追いかけた武男らと怪族は、今度は大島・三原山の噴火上で激闘となる。あや子が吊り下げられているロープが切れる寸前に、それをつかんだ武男が火口底へ落ち込んでいくところも手に汗をにぎらせる。

同時に雌阿寒の斧が、さっとふりおろされた。プツンとロープの切れる音——…たちまち、足もとの岩が、ガラリとくずれた、と見るまに、武男はロープをつかんだまま、千じんの谷底の噴火孔底へ、まっさかさまに落ちこんだ。（昭和二十六年九月）

さらに、一行が乗り込もうとする蛇島でも波乱は続く。海上を伝っていくなわの先にヘビが現れ、驚いて落下する大東にはまたアオザメが襲う。

…大東は返事もせず、ひとつところをじっと見つめている。…いつのまにあらわれたか、一ぴきのふとい青大将が、ロープのはじにからみついて、ぐっとかま首をもたげてるではないか…大東は、むちゅうでもとのところへ引きかえそうとした。とたんに…数メートル下の海中へ、ザンブと落ちこんだ。…一ぴきの大きなアオザメが大東めがけて、まっしぐらに突進していくのを見たのだ。(昭和二十五年十月)

その危機も脱し、探り当てた洞窟の奥深くあや子を発見したものの、そこでとらわれた大東青年への容赦ない仕置きと双方の激突。そして、再びさらわれたあや子を追う船の沈没というように、劇的な描写の連続は応接にいとまがない。

このように第二部では、前記に記した久米の特長である、場面の著しい転換(列車―三原山―蛇島の洞窟)と、それに対応した活劇ぶりが傑出しているのである。

舞台転換に応じた人物登場

第三部で、物語はいよいよ大詰めに向かう。

湯島博士、武男らがつきとめた賊団の隠れ家は大川ばたのビルで、その一室にあや子がとらわれていた。博士は大東青年とともにビルの表口を見張り、武男はしじみ売りの少年健太とともに小船に乗って裏手に回った。健太は部屋にあと一歩のところで、あや子と箱詰めにされ車につみこまれた。一方、湯島博士、武男、大東青年の三人は怪自動車のあとを追ったが、勝鬨橋が跳ね上がったため見失ってしまった。健太とあや子の入った箱は、芝浦の岸壁から貨物船北海丸に積み込まれ、北海道へ送られようとする。そこに猛獣使いのヘンリー三島が現れた。三島は、健太にピストルを持たせてロープのかげにかくし、自分はライオンのレオを従えて、船倉の入口に立った。あや子はたたかいをやめるよう三島に頼んだが、雄阿寒が大勢を引き連れて現れる。

三度進行が滞るなかで、今度は健太という少年が打開の糸口を与え、さらにヘンリー三島という猛獣使いが登場する。このように舞台転換に応じて次々と人物を登場させるので、読み手はついていくのが大変であるが、これも興味を持続させる一方法といえよう。

健太が隅田川で見つけた壜内の紙切れは、あや子がモールス符号で居所を記したものだった。このモールス符号の活用は、第二部で武男が瞬きで危機を知らせる場面にもあり、また『少年クラブ』では他の物語にも現れるところが時代を感じさせる。

月島の川沿いの建物にいたあや子を救うべく乗り込んだ健太は、もろともに箱詰めにされる。これを乗せた怪族の車は勝鬨橋にさしかかるや、折りしも跳ね上がり始めた橋を、猛スピードで突っ切る離れ業を見せる。

正9時、いよいよ橋があくときだ。…橋げたは…しずかに左右へもちあがりはじめた。そのしゅんかん…矢のように突進してきた1台の白ぬりの自動車。…すでに1メートルあまりも間隔のできた橋のすきまを、ものすごいスピードで、むこうがわへすっとんだ。…危機一髪の離れ業。あと1秒おそかったら、まっさかさまに川の中へついらくしていたことだろう。(昭和二十六年・新春大奮発号)

貨物船に積まれた二人の前に、猛獣使いのヘンリー三島という味方が現れ大勢の賊団を相手にするが、ここで今度はライオンという猛獣が登場する。そのうえ三島は射撃の名手であり、双方があわや激突というとき、あや子は熊の爪を差し出す。

何よりも味方の命を優先するあや子と、人質解放の約束を守る団長との取引。この息詰まる場面の緊迫感もさることながら、人命尊重と約束守護という双方の主張は、人間性の発露として感動を生む。

大団円

物語は、ようやく結末を迎える。三島と健太は、博士の目的を聞いて一行に加わりたいと思った。だが三島はライオンを届ける任務があり、健太はしじみ売りの商売があるため、あきらめるのだが、こういうところには生活感が漂っている。

地図はついに北斗星団の手に奪われ、団長の雄阿寒は部下をつれてつり橋をわたり、魔女の洞窟へ攻め入ろうとした。一方、湯島博士は、病気のあや子を川原のテントに残し、武男、大東青年、ホッケの愛犬をつれて、族団のあとを追った。族団がねらうのは洞窟内の砂金で、そのためにはピリカばあさんを殺してしまうかもしれない。彼女にさらわれたあや子の行方をたずねて、一行はけわしい間道を抜けて洞窟に近づいた。まもなく洞窟に着くところで、賊団は魔女を襲おうとするも次々と転落してしまう。一味の顛末を目にし、不思議な土の効能を聞いたピリカばあさんは、砂金ともども博士らにすべて与えるとし、大熊の背にゆられて去っていく。

このように洞窟にたどりついたものの、岩頭の魔女を撃とうとした団員らは崖下に落ち、つり橋を渡ろうとした一味もそれを切られて転落。砂州に残したあや子は、ピリカばあさんに病を癒されていた。砂金をかき集めて逃げる団長も谷底へ墜落し、博士らは伝染病に

挿絵・沢田重隆

効く土と砂金をすべて譲り受けて帰途につく。

雄大な活劇のなかの人間性

以上が本話の顛末だが、ここで久米の描写の特色と方法を改めて押さえてみよう。

まず舞台が、列島を縦断する広大な地域というようにスケールの大きいこと。そしてその場ごとにヤマ場を設定し、活劇を必ず盛り込むことで、読み手の興味を引き付けるのに巧みなこと。武男や健太らの勇気ある行動性、父親ゆずりのあや子の沈着・冷静さ、そして大東青年の大胆不敵さ等々、アクチュアルな若者群像を理想化して描いていること、等々が挙げられる。

そして見逃せないのは、再三取り上げたように、登場人物は武器を手にするも、人命をあやめることを極力避けている。これにより、いわば健康性が保たれていることである。さらに湯島博士の行動の目的は、不治の病を救うという人類の大きな目的であることも付加しなければならない。

このように久米の作品は、起伏ある筋立てとスピーディな展開とが信条である。そして『洞窟の魔女』はその特質を十分に発揮した代表作とみなされるが、前述のように、そこに人間としての大きな目的と倫理性をもつ健全さを込めている点で、少年小説作家としての模範たることが指摘されよう。

再話における卓抜な筆力

以上、少年文学における久米文学の魅力を見てきたが、それは創作においてであった。しかし児童文学における彼の実力は、再話においても認められる。例えば、冒頭に挙げた「名作もの」における「異国もの」は、いずれもアラビアン・ナイトに材をとったものであろう（『年表抄』では「アリババと40人の盗賊」しか挙げられていない）。講談社版《世界名作童話全集》では、第二巻に名高い「船乗りシンドバッド」「アリババと40人の盗賊」「アラジンとふしぎなランプ」「空とぶ木馬」を、第十七巻に「三つのたから」「かしこい少年裁判官」「しょうじきハサン」を、第四十九巻に「さばくのたから」「魔法のたから」「五色のさかな」を載せている。

上書の「あとがき」によれば、久米はこれらを編纂するにあたって、単に興味本位ばかりでなく、すぐれた文学としての要素を持ったものを選んだという。そして第17、49巻は、第2巻ほど有名ではないが、おもしろさの点ではけっしてまけないと保証する。じじつ「五色のさかな」は、幻想さと怪奇さに富んだものであり、「かしこい少年～」は現実的ながら、ふしぎな事件が次々と展開されるので、読み始めたらやめられないものである。

こうした再話の卓抜ぶりを検証するには、原典の「アラビアン・ナイト」と照合せねばならないが、ここではその余裕がなく、他日を期したい。

ほかには《全集》中の『名探偵ホームズ』が挙げられる。これは「バスカヴィル家の犬」(《全集》ではバスカービル)が中心なのは、ホームズものの最高傑作であることによろう。物語は医師ワトスンが、ホームズのいかに抜きん出た推理力を持つかを、置き忘れたステッキをめぐって明らかにするところから始まる。

二人がやりとりしているところへ、その持ち主モーティマ氏(《全集》ではモルチマー)が現れた。彼をそれを取りに来ただけでなく、ホームズに相談事があったのだった。それは彼の住むデヴォン州第一の大地主で、バスカヴィル館の主人チャールズ卿が変死を遂げたので、その後を継ぐヘンリー卿を受け入れるべきかどうかという話なのであった。

まずは、バスカヴィル館にまつわる妖犬の噂が長々と語られる。その間は気の乗らなかったホームズであったが、主人の死がその大犬の仕業かもしれない、というに及んでがぜん身を乗り出す。

昔からの伝説を利用した犯罪小説は目新しいものではなく、特に近年はサスペンスドラマなどで頻用されている。要は、その風聞にまつわる事件をいかに荒唐無稽でなく、現実感をもたせるかが作者の腕の見せ所であろう。本話も初めはホームズも気乗りしなかったのだが、それが急転回するのは、上述のように、事件の現場に大犬の足跡があった、というモーティマ氏の証言からであった。

この内容は原典と《全集》は大差ないのであるが、原典では文庫本四ページにわたって氏が長々と話している。それを読み進むだけでも妖しい雰囲気は醸し出されるのだが、久米はそれでは年少の読者には冗長だと思ったのであろう。そこで彼は、冒頭のホームズとワトスンのやりとり同様、対話形式を用いたのである（しかも館の主・チャールズ卿が倒れていた付近の見取り図まで付けている）。

このあと今度は、ワトスンがホームズに聞き質しながら、最後まで進められるのだが、こうした手法は、古くはプラトンの対話篇にあるような古典的なものである。このように聞き手の一つ一つの問いかけに受け手が応えていくことで、事態の全貌や問題が明らかになると共に、自ずと緊張感も漂ってくるのである。

このような改変を施して年少読者を引き付けるところに、児童文学作家としての手馴れた手法が見てとれる。こうした久米の児童文学における再話の方法は、改めて評価してしかるべきと考える。

望まれる久米の再評価

それにしてもこれだけの力をもった久米が、今日名を残していないのはなぜであろうか。当時の批評を見たいものの、それが目にふれないので即断はできないが、その理由の一つには、初めに見たように、その手がけた領域があまりにも多岐に及び、しかもそのいずれに対しても、一定の水準をもってこなしてしまう器用さが挙げられようか。

またジャンルや登場人物に、久米固有の世界が打ち出されていないことも挙げられよう。同じ『少年クラブ』の常連作家である高垣眸の時代もの、南洋一郎の密林ものなどに対し、久米の世界は一般社会である。登場人物も、際立ったキャラクターが登場しにくかったともいえよう。

こうした平準化した世界であることが指摘されるが、それは稀有の筆力を持ったこの作家にとって惜しまれることである。しかし先述のように筆者は、スケールの大きいこと、ヤマ場を設定し、活劇を必ず盛り込むこと、アクチュアルな若者群像を理想化して描くこと、起伏あるスピーディな展開をすること、人間の大きな目的と倫理性を込めること等々を確認するにつけ、そうした筆力を持ったこの作家の再評価を切望する次第である。

『緑の金字塔《ピラミッド》』

はるかな異郷にのぞむ金字塔

南洋一郎

南洋一郎は、初め池田宣政の名で大正から昭和にかけ、主に『少年倶楽部』誌上で偉人伝や美談を書いた作家である。(ほかに、荻江信正の名で実話風読物も書いた。)その池田が転機となったのは、昭和初期より南洋一郎の名で、同誌に冒険小説を書き始めてからであった。特に昭和七年の『密林の王者』『吼える密林』は爆発的人気を呼んで、同誌における少年小説の目玉になったという。ただこれらは、探検家ジョセフ・ウィルトンの回想を下敷きにした抄翻案(二上洋一『少年小説の系譜』)とも呼ぶべきものであった。

その南のオリジナリティが存分に発揮されたのは、同誌に連載された『緑の無人島』一九三七年(昭和十二年)と『緑の金字塔』一九四七年(昭和二十四年)の二大作であった。

彼が少年時代に愛読したのは『小公子』と並んで『魯敏孫(ロビンソン)漂流記』であったという。それだけに先の密林ものやその後の二作品には、猛獣に出会う恐怖、暗闇に飛び交う光や音、大河や渓谷での危機、悪漢や蛮人らとの対決など、密林におけるスリルあふれる要素がふんだんに盛り込まれている。

ただ『緑の無人島』は、豪州から帰国中に暴風雨で難破し、無人島に流れ着いた親子6人が様々な苦難を乗り越える話で、これは既に指摘されているように、『ロビンソン漂流記』や『家族ロビンソン』を下敷きにしていることが容易に思い当たる作品である。これに比して『緑の金字塔』はそうした匂いを払拭し、『少年クラブ』に実に34ヶ月にもわたって掲載された雄篇で、冒険小説家・南洋一郎の到達点を示すものであった。

南はこのあと、池田時代の美談ものと冒険ものの両者を統一するべく『バルーバの冒険』を書いたのだが、存命中の出版は叶わなかった（その後発見された遺稿により、完全版が出ている）。

しかしながら、この南の歩みは運命的であった。「『吼える密林』は「日本が戦争への道程を転がり落ちる入口に位置し、さしもの少年小説の黄金時代も分解への道を歩まねばならなかったし、『緑の金字塔』は少年小説終焉への道を、これも歩み始めた時期であった」（二上、前掲）からである。

そして二上は「従って、読者が少年であるこれらの作品は、正当な評価を後代に残すことが出来なかったのである」といっている。たしかに南の没後、こうした傾向の作品群は見かけない。そこでここでは、力作『緑の金字塔』を取り上げ、南の方法を検証し、その評価を試みたいと思う。

「緑の金字塔」の構成

「緑の金字塔」は、一九四九年（昭和二十四年）一月から一九五一年（昭和二十六年）十一月までの三年近くにわたって書き継がれた大作である。それだけに筋立ては波乱に満ち、また登場人物も数多く複雑である。そこでこれを、以下のように整理してみる。

	剛三（長男）――	（名前不明）―	ホーセ	
山野元春――	（次男＝早世）―			
	武春（三男）――	春元――	春夫――	富士夫
ロサーダ博士	ソリス博士――	エルナン		
	クリス王子	ゴラーム隊長		
	大僧官ダダ	副長官ゴアア		
	ゴンザロ		ダカール	

さて『少年クラブ』のような雑誌の連載は、一年を区切りにするのが普通である。ところが『緑の金字塔』だけが異例の長期にわたったのは、作者南のありあまる創作意欲に版元が柔軟に応じてのものであったろう。

だがそれにしても、これだけの分量を継続させるには、それなりに読者の興味をつなぎとめなければならない。そこで思い当たるのは新聞小説の方法である。毎日一定の量を掲載し、これに日々読者につきあわせるには、作者は1回ごとのヤマを設けるようである。これは月刊誌の連載ものにも当てはまる技法であろう。

このように見るとき、本話でも要所々々でヤマ場を設けていることが明瞭で、結果おしなべて息詰まるドラマが間断なく展開されている。

それはどのようであるかを、以下、筋を追いながら見ていこう。

『緑の金字塔』の内容

本話の舞台は、南米ボリビアの大魔境マットグロッソという大密林である。そこに、ある探検家がペルーで発見したインカ王国の大王の宝が埋蔵されているという。この宝の正当な所有者は、インカ王家の主・クリス王子なのだが、大僧官ダダと副長官ゴアの一味がこれをねらっている。クリス王子は、ゴラームを隊長とする白馬隊を組織しているが、対するダダ—ゴア組は黒馬隊を組織し、双方が壮絶な戦いを続けている。
本話の主人公は山野富士夫という少年で、物語は彼の一人称で語られる。彼の父はインカ文化の研究者で、その仲間にソリス博士とロザータという外国人がおり、物語は富士夫とソリス博士の息子エルナンの二人を中心に進められる。なおロザータは、実は敵方であった。

＊

この長篇は、上記の双方が競い合う場面がさまざまな形で最後まで展開されるので、大きな区分範囲がつけにくい。しかし便宜上、以下のように4節に分けて筋立てを追っていこう。これはちょうど〈起・承・転・結〉という構成に当てはまるのである。

＊

第一節：知力兼備の雄姿の形象

第一節は〈起〉に当たる。

山野家に火の玉や骸骨面の人物が現れ、近くの沼からはスペインの大砲が見つかり、その中になぞの馬鈴とトカゲ像が付いたパイプがあった。これらをめぐって、富士夫父子、エルナンとその父ソリス博士、ロサーダが調査を開始する。ところがソリス博士が行方不明となる。彼を探しに出た一行からエルナンも不明となるが、彼はコンドルにさらわれていた。それを射止めたのがクリス王子だった。彼から、インカ王国の秘宝をねらうダダーゴアと対決してきた経緯が話される。一行が奥地へ進み、王子と召使のゴンザロがつり橋を渡るところでロサーダが本性を現して吊り橋を斬ったため、二人は転落。さらに奥地では、白馬隊と黒馬隊の乱戦となり、ゴラーム隊長の奮戦によって一行は洞穴内の王子らと再会できた。

本節の見所は、エルナンをさらったコンドルを射止め、また狼の群れを次々に撃つクリス王子の雄姿の形象である。

それは、すばらしくみごとな体格の男だった。…顔もからだも赤銅色にやけ、肩や腕の筋肉は、ごりごりともりあがっている。…目はワシのようにするどく、鼻は岩みたいにもりあがっている。…けだかさと威厳があり…堂々たるつらだましいだ。（昭和二十四年五月）

このように描かれたクリスは、一行を襲う夥しいバグラ（赤狼）をものともしない。

…かみつきかかった大オオカミのしっぽをつかんだ王子クリスが、おどろくべき怪力でそいつを大きく宙にぶんまわし、どさあっと大地にたたきつけるが早いか…鉄のかたまりみたいなげんこつで、そいつの下あごをぶちくだいちまったのだ。(昭和二十四年六月)

これら知力兼ね備えた男性美あふれる雄姿は、作者が求めた、一族を率いる棟梁の理想像なのであろう。

＊

第二節：目を引く動植物の生態

〈承〉に当たる第二節は、全員が陣容を整え直して出発してから、なぞの絵文字を解き明かすまでである。

一行は大魔境の間道に入る。だがここで、王子やゴンザロは不明となる。そこへピューマの顔をした獣面人間が現れ、クモの糸を投げられたソリス博士は吸い寄せられてしまう。ひとり地上に出た富士夫は、熱泥地獄にはまり、ベッカリー(イノシシの一種)の大群に遭う。これをやりすごすと、巨大文化を形作った石切場にさしかかる。その奥で今度は人食いジャガーに襲われるが、そこに現れたエルナンの短剣で救われる。

その二人が絶壁の上に見上げたのは、ゴアにやられた白馬隊の勇士だったが、彼は絶命する。

そこに現れた大黒アリの行列を避けていくと、捕らわれる途次に博士が刻み付けた三角印を発見。だが岩穴の中でゴアとロサーダにつかまり、富士夫はとっさにパイプをかくす。彼はここでおどしに屈せず「日本少年らしく正義の光につつまれて死ぬ」覚悟をする。しかし二人は、しばられた縄を切って迷道を脱け出し海中に飛び込む。その中で見つけた小箱には古い印籠があり、中に博士の手紙があった。夜に入って見えた黄色い光の点滅がモールス信号で、博士の存在が知れる。翌朝、舟で洞穴に入ると博士はいたものの催眠術をかけられ反応がなく、馬鈴の中の油紙を広げていた。

外で出会ったゴンザロと三人は岩牢に入ると、皮絵図を発見。そこに不気味な怪物オムギ・ブラリグサ（暗闇のヒキガエルという意味の一種の下等人種）に襲われるが、笛の音で消え去る。そこへ現れたゴラームは一味と闘ったという。

一行がさしかかった大岩には、クリス王子がしばられていた。彼をねらってハゲワシやジャガーが襲うのを勇士らが追い散らし、彼を人ばしごで救い出す。王子は、仮死状態の博士を独特の人工呼吸で甦らせることができた。博士は油紙にあるなぞの絵文字を解読させられていたのだが、その意味が解明できないでいた。

以上の第二節では、密林―大岩山という広大な舞台が背景である。博士は捕縛されるが、それを追う少年らの前に獣面ダダが登場。捕らわれた少年らの危機を救うゴンザロやゴラームの奮戦というように、敵味方が入り乱れる。また野性の動物が次々と現れ、加えてオムギ・ブラリグサのような得体の知れぬ怪物まで登場し、変転万化の限りを尽くしている。

なかで特に目を引くのは、こうした奥地でしか見られぬ動植物の生態や現地人の食事内容である。

まず、①野性動物の数々の生態である。――ベッカリー（イノシシ）：ブタの怒り声のように叫びながら、千頭、二千頭が何のためなのか大移動をする。背中のあら毛は針のように逆立ち、両目は血走り、木を引き裂き、岩を跳ね飛ばす。／ジャガー（巨大なアメリカヒョウ）：牙をむき出し、地の底からわきあがるうなり声をあげる。年を経て人肉の味を覚えると、獲物の内臓や腐った肉を食う狂暴な猛獣と化する。／大黒アリ：幾百、幾千万とも知れぬ大群で3mの行列をなし、そこに人間だけでなく、猛獣でも一足ふめば噛みつかれ、もがき苦しんだ挙句、骨と皮だけの抜け殻となってしまう。――これら恐るべき動態が一段落する折々に描かれるのである。

次に、②少年らが腹ごしらえする場面でのさまざまな食糧も印象的である。――クリス王子の食糧庫には、乾した肉、トウモロコシ粉、乾し果実に、ファリニヤ（マンジョカというサツマイモの粉で、水でといて食べる）などがあった。／また土人たちは、密林に火をかけて焼いたタピール（ゾウの一種）やベッカリーを集めていた。これは焼きブタみたいにうまく、なかでもイグアナ（巨大なトカゲ）の皮をむいてぶつ切りにしたのは珍味であった。

植物に至ってはさらに詳しい——水の木という意味のオブサカン：そのつるの下部の切り口を口にあてがうと、中の水が舌の上に流れ出す。少し青臭いが冷たくて甘く、一本でコーヒー一杯分の水分があるという。／パンの木の実を土に埋めた蒸し焼き：これに牝牛の木（幹を傷つけると牛乳状の汁が出る）の乳をかけるとクリーム状になっていける味という。／肉だんご：肉にハチミツ、トウモロコシ粉、卵、果物を混ぜて、臼でつき固めたもので、カロリーのある携帯用食糧となる。

また、ヘビから救われたお礼にと招かれた土人一家のごちそうも目を引く。——カラという、ジャガイモ様の根からとった赤い酒。においがするが、身体がほてり疲れがいやされる。／マンジオカの根を乾かして粉にし、ハチミツを塗っただんごも美味という。さらに、／アルマジロの肉は美味。またカメは、大穴の中に十数個の卵を産み、その上にかぶせた砂の上に、次々と別のカメが産卵する。その味も最高、という。／クリ様の穀物をつぶし、これに砂糖味をつけたキノア。／ジャガイモを凍らせ、足で踏んで水分を出し、三週間乾かすと縮んで黒いクルミ様となるチューニョ。これらを水でふやかして料理するという。／ソーバというアリ：頭をとり生で食べる。焼くときは全身を。／イモムシ：その腸を搾り出し、皮だけを煮ると歯ごたえがあったという。／ボナボナというつる草の汁は、満腹となったという。

これらを満たした土人一家の生活ぶりは、以下のようなものである。

ぼくは、この小屋で…いろいろかわっためずらしいものも見た。…夜、沼の水面に、ちらちらと赤い火がもえているようなのは、ワニの目だそうだ。また、おもしろいのは、ジョンソン鳥で…くつしたみたいな巣をあんで、その中から、頭だけ出して…ぼくたちを、じろじろ見ている。土人の妻は…木の葉におだんごみたいなものをのせて出してくれたが…あまくて、舌の上でとろけそうだった。…カメを取るのも…弓矢で射るのだ。…遠くの水面に波紋ができると…矢を空にむけてはなつと…かならずカメのこうらをつきさすのだ。(昭和二十五年八月)

また密林内の描写も、南の調査の成果がいかんなく活かされている。――密林奥地にある巨大なオンブの老木：そこには濃緑の枝葉に真紅の花が撒き付いている。地上五十メートルまで登ると、大枝が分かれるところに大きな空洞がある。これは軟らかくて空洞ができやすく、巨大なものでは上から下まで空洞で、秘密の間道につながっている。

こうした細密な描写は、南の得た深い知識による成果であり、息づまる進行中に一息入れる結果になっている。また読者は、異国の動植物の生態に目を見張らされる。これらのことが、活劇一方の冒険小説とは趣を異にし、独特の生活感やリアリティの創出に力与るのである。

＊

第三節：秘密解明に至る緊張感

〈転〉に当たる第三節は、山野家の家系が明らかになり、財宝の存在する場所に迫るところである。

富士夫は前にかくしたパイプを取り出すが、敵の来襲で落馬して川に落ちる。だがピューマ（アメリカライオン）のダガールを連れたホーセというふしぎな老人に救われる。彼はペルーに漂流した日本武士の孫で、脇差を持っていた。その話から祖父がオムブの大木の空洞から何かを見つけて姿を消したこと、その部屋にあったトカゲのパイプと土の鈴から出たなめし皮にインカの絵文字が記されていたこと、そこで老人もインカの遺跡を探し回ったすえ、ついに金字塔を発見したことが話される。しかしその老人は毒ヘビにかまれてしまい、絵文字の意味を「緑の金字塔の…」といいかけて死んでしまう。

埋葬をすませて富士夫は独り沼に出ると、大きな水ヘビのアナコンダに巻き込まれるが、ダガールに救われる。また土人の親子も襲われているのを、富士夫は老人の脇差でしとめる。その土人の話から、近くに太陽神の金字塔のあることを知り、そこに入ると怪しい老人のミイラがあった。その首に吊るされた皮袋の中の文書によると、彼はホーセ老人の祖父であった。また、パイプから出たらしい絵地図の文字を解いて太陽神の金字塔の中に入ると、そこには不気味な絵や魔神像があった。

そこへ黒馬隊がやって来、富士夫はゴアにつかまる。白馬隊との決戦で戦勝を祈るいけにえには、若い心臓が要るのだという。あわやというときに白馬隊が来て大乱戦となるが、そこにエルナンらがいた。富士夫は脇差でがいこつ面を倒すと、それはロサーダの変装だった。しかし、「生かしておけ」とのゴアの命令で富士夫は人質となったところで、双方休戦となる。

この段は全篇の山場になるところで、洞穴内の老人らの話や遺品によって、山野家の家系が明らかになると共に、目的の金字塔にようやく接近していく過程が語られる。二人の老人が何者なのかが、彼らの話や遺品によって次第に明らかになるまで、物語はサスペンスタッチで進められるので、読者を引きつけて離さない。
また、大ヘビとの死闘や、寝食を共にする土人たちの生活ぶりなど、ここでもありきたりの冒険ものでない迫真性とリアリティを有している。

＊

第四節：盛り上がる終末場面

〈結〉に当たる第四節は、双方が競いながら、いよいよ緑の金字塔に着き、内部を開くまでである。

人質となった富士夫を乗せた黒馬隊と白馬隊の双方は金字塔を目指して進み、敵の陣地である大岩山の谷底に着く。ロサーダは、つる草による麻薬で元気であった。そこは昔の大砲が並び、決戦に備えていた。ところが砲撃の際に火薬が暴発して大激戦となり、富士夫は気を失うが敵は降伏。インカ帝国の王位と秘密はクリス王子に戻され、ダダとゴアを追放する条件付きで、富士夫は父にようやく面会できた。だがその間に岩扉が閉められ、一同は閉じ込められてしまう。ゴンザロの怪力でわずかにできた隙間は、大地震によってさらに広がり、長剣を持つ富士夫と小銃を持つエルナンは本陣へ向かった。

谷川沿いにはロサーダとゴアがいたが、噴火口をのぞいたロサーダをゴアは突き落とす。目撃された富士夫とエルナンは逃げるが、火山の爆発でまた地震が起きる。そのため渡るべき大岩をつなぐ丸木橋が落とされてしまい、やむなく三メートルの距離を飛ぶことにするが、エルナンに続く富士夫は失敗。岩にぶらさがった彼を、危くダガールが咥え上げてくれた。しかしそのダガールに敵の毒矢が刺さり、オムギ・ブラリグサの来襲にあう。それを、地上に浮き上がったダダが見つめ、クモの巣のような糸を投げた。そこへ彼らが苦手な火の玉（女の髪を泥土で固めた灯火）が現れたので彼らは姿を消すが、その光に照らされたのは生首（生き首の骨を抜いて縮め、乾し固めた魔よけ）だった。そこへ白馬隊の一人が現れ、ダカールの命を蘇生させる。そこに現れたダダを追ったものの、味方の火薬庫が大爆発。本陣では、老勇将ワンバと対戦したゴアは谷底へ落ちていった。

こうして一行は隊商に変装して敵の目をくらましながら、塔の入り口を爆破し、父らと再会。火口からは宝石や日本刀が出てきた。これを機に、富士夫の父は先の山野家系図を説明する。そこへオムギの大群とダダが現われてあたりを焼き打ちにするが、一行は大雨に救われてついに緑の金字塔を発見。数々の仕掛けを乗り越えながら、塔奥の魔神像が守る石棺内部の心臓内の鍵を回し、大秘宝の山に到達する。

大詰めに来て、作者の筆は冴えわたる。何度も襲いかかる敵からの危機を、あるときは土人の怪力やピューマの力、また自然の猛威で突破させる。特に大岩間を飛び越える息詰まる場面、オムギという怪物の登場、そして人の生首が転がる場面などは緊迫感に満ちている。

その光の輪の中に、うきあがって見えるのは、一つの、なまなましい人間の首なのだ。それだけでも、きみがわるいのに…その生首というのが、オレンジくらいの大きさなのだ。…さいくものか人形でないのだろうか。いやいや…たしかに生きた人間から切りとった首なのだ。…奇怪なできごとのひきつづきに、ぼくは夢見るここちがして、頭がぼうっとしてしまった。（昭和二十六年五月）

これは種が明かされれば納得できるものの、スリラーもどきである。このあたりは最高のサスペンスであり、まさに巻を置く能わざる展開になっている。

『緑の金字塔』の特長

本話の特長の第一は、クリス王子のように堂々たる体躯をもつ筋肉質の男性美を創出し

挿絵・原研児

たことである。

第二は、人界離れた密林にうごめく野獣のさま、そしてそれに立ち向かう人物の描写である。これら大小さまざまの動物の生態は、その綿密かつダイナミックな描写そのものが迫力となっている。それは文明国の人間にはうかがい知れぬところであり、世界の広さ、奥深さに圧倒されるのである。

ただこうした面が、男性的な面に限られるのはやむをえない。（《全集》の『ロビンソン漂流記』も『緑の金字塔』も、女性はまったく登場しない。）

第三に、しかし以上の特長は大人からの鑑賞面である。『少年クラブ』読者の視点で見たとき、南の作法は、年少者の興味をとらえて離さぬ仕組みを存分に備えている。

まず白・黒両馬隊の激突場面であるが、これはありきたりのものである。またどくろ面やクモ糸など、不可思議な道具立てにも事欠かないが、これは文字通り子どもだましの手ともいえる。しかしこれらのほか目を引くのは、不可思議な現象――火の玉、灯火、死者の首など――を頻出させていることである。これは探偵小説のように、タネを明かされるまで、読者は年令の高低を問わず巻をおけない。つまり南は活劇だけでなく、こうしたサスペンスタッチの手法も織り込むことによって、話の幅広さを増大させているのである。

このように南は、題材を密林にとり、雄々しい人物を配することで、雄大なスケールを現出させており、加えて密林内の生き物の生々しい生態、またサスペンス仕立ての手法によって、リアリティとロマン性を併存させているのである。

以上の特徴を併せ見るとき、本話は少年文学の魅力を十全に備えた一つの到達点と見なし得よう。

ここでもう一つ、物語の表現としての絵画による方法を考えてみよう。本話のような広大な地域と自然を舞台にした活劇は格好の画材である。しかし、物語描写で絵画だけに重きをおくのは一長一短である。文章からイメージを喚起することもあるし、画像からその内面を想像することも可能だからである。

本話の掲載誌『少年クラブ』でも挿絵は豊富であり、たしかにこれらは叙述の理解を助ける。しかしこれら挿絵を除いても、南の文章力に不足はあるまい。いやむしろ、例えば野獣や大蛇との死闘場面では、それらにとどめを刺す際にのたうち回るさまは紙面から飛び出すようであり、また土人の食生活でのおびただしい動植物のリアルな描写には、それらのうごめく様子が立ち昇ってくるのである。

これらは該当箇所で述べたように、南の豊富な経験・知識に裏打ちされたものであるがゆえに、瞠目させる力をもって迫ってくる。南の作品は、まさに筆力で勝負できるものを有しているといえよう。

第三章　再現された世界の名作――《世界名作全集》の魅力

《世界名作全集》→《全集》と略す。
《岩波少年文庫》→《文庫》と略す。
挿絵は該当書より転載した。

『ロビンソン漂流記』
孤島で生き抜いた不屈の魂

デフォー

大人にも子どもにも読み継がれた作品

『ロビンソン漂流記』は、原典名『ロビンソン・クルーソーの生活と冒険』で、イギリスのジャーナリスト、小説家であるダニエル・デフォーが一七一九年に発表したものである。政界、宗教界に関わりながら、警世的な論説を発表する傍ら、六十歳近くに至って、たまたま発表したこの物語は、たちまち世間の評判となり、イギリス小説の先駆とされるだけでなく、世界文学史上に不朽の名をとどめるものとなった。

本書は発表されて以来、今日に至るまで世界各国で営々と読み継がれている。それは、ただ独り文明から隔離された所に放り出された人間がはたして生き延びられるものか、という疑問に応え得た実験小説であったからだろう。

しかしこれだけでは、人類史家に興味をひくだけに終ってしまうだろう。本話は、未知の孤島に独りおれば、当然湧き起こる身の危険にいかに処していくか、との対策を講じなければならず、島の奥地まで探検を始めるところから、冒険小説の色合いを帯びることになる。

具体的には、難破船から積み出した銃やナイフを身につけ、野獣や蛮人の有無を探りにいくところである。物語のピークは食人種に遭遇するところで、彼らから逃げ出した一人（フライデー）を助けることにより、彼を忠実な下僕として、以降が進められる。そしてやがて、蛮族に捕らえられた白人たちを救ったことをきっかけに、ついに帰国をはたす、という筋立てである。

ところでこの作品が、難破して無人島に漂着した主人公が、そこで着実に生活を切り開いていく過程を精緻な筆致で、近代小説の一源流とされるのは頷けるとしても、早くから児童文学の古典としても扱われてきたのはなぜであろうか。

それは、絶海の孤島で生活を築きつつ、人食い人種の危険に遭いながらも、一土着民を救い、ついに帰国に至る、という波乱に満ちた筋立てだからであろう。

同時にまた、大人にも子どもにも受容されてきたということはなぜなのか。それは大人にとっては、乏しい物資だけでも、工夫と努力を重ねることにより生活を築き上げることができた実績に目を見張るからであろう。また子どもにとっては、思いがけぬ食人種襲来の危機に、沈着に手段を講じて迎え撃ち、捕虜の救助が縁で故国に戻れた主人公の目覚しい行動に喝采を送りたくなるからだろう。

つまりこの作品は、人間が生きていくうえで逢着する二つの部分――命をつなぐ生活充足の側面と、自然災害や人的被害に抗う闘争的側面を併せもっているわけであり、この両面を単独やりおおせた男の物語なのである。

物語の構成

ではこの二つの面が具体的にどのようなものであるかを、作品に即して追ってみたい。それを、原典、《全集》、《文庫》の三本で比較しながら見ていこう。

本話の構成は、左表のように四部に分かれている。

原典	第Ⅰ部	第Ⅱ部	第Ⅲ部　第Ⅳ部
《文庫》	1～5節	6～9節	10～17節
《全集》	第1編：遭難	第2編：孤島の生活	第3編：希望の光

第Ⅰ部は、主人公ロビンソンが海上で遭難し、孤島に漂着するまで。第Ⅱ部は、その島で自活していく様子。第Ⅲ部は、襲来した食人種からフライデーを救うまで。第Ⅳ部は、上陸した蛮人と戦い、捕虜の身であった船長により故国へ帰るまで。――以上である。先に押さえた生活自給の面は第Ⅱ部、闘争的側面は第Ⅲ部であり、第Ⅰ部は、それらの前史ということになる。

物語はまず、ロビンソンという人物の出自と性格について語られる。彼はそれなりの安定した財産家に生まれ、各国と貿易をかわす商人であった。そのため海洋を往路していたことから、国内にとどまらぬ冒険心とあいまって、大洋に何度も乗り出していく。その間あやうく食人種のえじきになりそうになり、また大暴風雨にあって奇跡的に命拾いしたこともあった。そうした危機に瀕するたび、父親から堅実に営めば広大な園主を約束されるのだ、と諭される。そのたびに二度と航海はすまいと誓うのだが、またしても海に乗り出してしまう気性であった。

ここでわかるロビンソンの性向の第一は、かなりの難事にあっても、何度も挑み直すチャレンジ精神の持ち主であること。第二に、市井にとどまれば安定した生活が保証されると頭ではわかっても海に飛び出してしまう、アウト志向の持ち主であること、である。

これらはあとの部分に、そのままつながるものである。すなわち第一の性向は、第Ⅱ部のなかで、生活必需品を一つ一つ執拗に創り上げている営為につながる。そして第二の性向はいうまでもなく、勇猛果敢に躍り出ずにはいない第Ⅲ部の積極性につながっている。

第Ⅰ部と第Ⅱ部の分析

では、少年ものではどう扱われているかを見ていこう。

《全集》を見ると、まず「はしがき」は、「おおしい冒険心」「海の勇士の豪胆不適な大精神」こそ尊いとし、この勇猛心をもって、戦後日本を築く「力の書」「大男子の奮闘記録」であるとしている。そしてその構成は、第1編「遭難」で（原典の）第Ⅰ部を、第2編「孤島の生活」で第Ⅱ部を、第3編「希望の光」で第Ⅲ部、第Ⅳ部を描いている。

さてこの第Ⅰ部であるが、《全集》を開いてまず目に飛び込むのは、いきなり嵐の場面から始まるところである。原典と《文庫》では時系列で主人公の出自から始め、海洋貿易商になって大洋を勇躍するうち、いくたびか暴風雨に巻き込まれたり、蛮族に襲われたりする記述をつなげていっている。これは穏当な叙述であろうが、年少者にとっては興味を持続しづらいであろう。そこで《全集》の著者南洋一郎はこうした叙述を改め、何度目かの嵐の場面でいきなり開始することによって、早くも本話が波乱に満ちたものであることを予兆させるのである。

《全集》でまた目を引くに与っているのは、（表紙・口絵でなく）本文の椛島勝一の挿し絵である。この画家は『少年クラブ』では、毎号巻頭に綿密なペン画を載せ、異才を放っていた画伯である。彼はこの《全集》でも精緻きわまる絵図を描いており、特に巻頭の嵐に巻き込まれた船上のさまでは、迫真性ある画像によって物語を盛り上げている。

また第Ⅰ部で、原典よりかなり長く記されているのは、囚われの身から共に逃亡したジュリーという黒人少年との交流である。ここが少年小説らしいところといえよう。

＊

物語中、大人が読んで非常に興味あるのは、第Ⅱ部であろう。

すなわち、艱難辛苦のすえ安定した生活を築き上げるところであるが、ここはことのほか密度の濃い章段である。というのは、難破船から残留した物資を引き上げ、それを活かしながら生活用品を作り上げていくその過程（A）が感嘆させられるばかりでない。その過程で展開される自問自答（B）が、まことに真摯なものだからである。
（A）の生活用品の創作過程は、具体的にはこうである。
彼は難破した船から使えそうなものを次々に運び込んだあと、それをもとに生活を始める。だが、まだ多くの資材や工具が足りなかったことから、何をするにも仕事は非常に面倒であった。しかし彼は労力と工夫により、工具がなくても必要なものはつくれることを発見した。例えば、テーブルといすをつくる場合、木を切り倒し、それを両面から斧で割り、鉈で表面を平らにするしかなかったが、彼はそれを敢行した。

これは、人類初期の生産過程はさもあろうと思わせるリアルさをもっており、高名な社会学者をうならせた由である。しかもわれわれの心を動かすのは、ロビンソンは本人が何度もいうとおり決して器用な才人ではなかったにもかかわらず、文字通り日々精進を重ねた挙句に、最終場面でこれを見た人たちが感嘆の声を上げるほどの域に達するまでになった、ということである。

神を信じるまでの自問自答

こうした粘り強さと前向きさが縷々述べられる一方で特筆されるのは、それらの行為に当たって繰り返されるモノローグ（B）である。

彼は何度目かの航海で、とうとう文字通り九死に一生を得て孤島にたどりつく。そして二十八年もの生活をおくるのだが、ここで注目されるのは、まず自らに課せられた難題を進めるに当たって繰り返される自問自答である。それは命題が出るたびに反芻されるもので、興味つきない哲学、これが第一である。

その代表的なものは、神を信じるまでのことである。まずあまたの乗組員のなかで自分だけが助かったことは神のおかげだとする。たしかにこれは奇跡的なことで、神への謝意は当然であるが、面白いのは彼の場合、そうした謝意はそのときだけのもので、じきに忘れてしまうことである。

第二に、生命の糧をめぐるところで、パンの原資たる小麦粉の落ち粒についてである。これは偶然にすぎないと一度は軽くみたつもりが、積荷を運び入れたそのときに粒が落ちたこと、それをたまたま発見したこと、などの重なる偶然は神の意志とみるほかない、とする。ここには、偶然性を数値的な配合・確立とみる科学性と、その背後をつき動かす創造主の存在と、どちらの見方をとるかの永遠の対立が表れていて興味がつきない。同時に、無神論と有神論が、一個人のなかで葛藤するという、きわめて現実的なせめぎあいが呈示されるのも真実性を帯びた叙述である。

それに加えて、深く神の意志に思い至り、熱心な祈祷を始めると思いきや、これまたいつの間にか忘れるという繰り返しが、思想と現実の乖離を示しており、それが現実の生活なのだ、と思わせるところが、この作品の型にはまらぬリアルさを浮き出していることもおさえておきたいところである。

さらに彼の思考をめぐらす過程をみよう。

（1）麦の穂が偶然に出たこと

彼は、船から運び出した鳥の餌の袋に少し残った麦の殻を外に放った。ところが一ヶ月たって、大麦の穂が生え出していた。これは偶然によるものであり、それを神の摂理と考えてはいない。しかし、この風土が麦に適していなかったのにどうして生えたのか、これは自分が生きていけるようにされたのだ、と考える。たしかにそばには米の芽も出ていたが、他の所にはなかった。彼は袋の中に残った十粒の麦は、岩山の陰に捨てていた。これがすぐに生えたこと、そして雨季に入った機会でもあったこと。かく偶然の重なりに、彼は神の配剤を思うのであった。

一方、刃の欠けた斧を砥石に当てて砥ぐのだが、これを行うのに砥石に滑車をつけて足で廻す方法を考えつくようなことは、生活者の描写である。しかしここで彼が、重大問題に案を練る政治家、罪人を死刑にすべきかを思案する裁判官にまで思いを進めてくると、思索の書という面が浮き出てくるのである。

（2）病におそわれ助かったこと

彼は病にかかり、悪寒、頭痛、発熱、瘧の発作が起こる。信心のない彼も、ついに祈祷を始めるが、ここで神についての思考がとことん究められる、

夢で「お前は悔い改めようとしないから、もう生きていられないのだ」と託宣され、こ

こで宗教を思う。彼はこの半生の間、不幸な経験にあったこと、父に背いたこと、難破でものを失ったこと、生活における罪深さを考えなかったことを挙げ、ただ自分を不幸な人間と考えただけであった。また自分だけが助かったときでも通常の喜びだけで神意を感ぜず、餓死する心配がなくなったときも同様であった。また、麦の穂が出たときもじきに神意を消失し、地震の恐ろしさでもそれを感じなかった。神とか、神の思し召しとかの観念はなく、天罰とまでは考えなかった。

だが、病で高熱と共に恐怖と苦悩に襲われたとき、これは父の忠告に従わなかった天罰だったと思い知り、初めて神に助けを求める。

また病で横たわりながら、彼は思考していく。大地、海、空気、生物をつくったのは神だけであって、それらすべてを支配し、生起するすべては神の定めである。ならば自分の境遇もそうであり、今までの無軌道による天罰だ。一人助かったこと、沖の溺死をまぬかれたこと、海賊船で殺されなかったこと、アフリカ海岸で猛獣の餌食を免れたこと等々、すべて神の配剤ではないか、と。

こうして、船から持ってきた聖書を初めて開く。すると「「苦難の日に私を呼べ。ならばお前を救い、お前は私を讃えるだろう」を目にして感銘する。おりしも、ときは丸一年目であった。そこでその日を祈りの日とする。そしてそれから7日目を日曜日とした。今は、過去の罪ある生活よりも幸せであり、「私はお前を離れず、見捨てない」とする聖書の話に救われた。その一方で、救い出される祈りがあるのだから、神への謝意は偽善ではないか、とも考える。しかし逆境にあればこそ、過去の罪深さを思わせるのだ、と考え直す。彼はこのように、ストレートに考えを突き詰めていくのでなく、否定と肯定を繰り返していながら、結論に至らせていく。こうした弁証法的な思惟を重ねていくところに、近代的な合理精神がみられ、古さを感じさせない新しさがみてとれるのである。

以上、このようにたどっていくと本話は、生活を築いていく自立の書と見られる反面、どこまでも徹底して思考する深い思索の書でもあることを示しているのである。

少年ものにおける救い

(1) 第Ⅱ部［島の生活］

さてではこの第Ⅱ部で、少年ものはどう描かれているだろうか。

《文庫》を見ると、Ⅰ［遭難から漂着］は1～5節に、Ⅱ［島の生活］は6～9節に、Ⅲ［蛮人の来襲から帰国］は10～17節に分けて描いている（なおこのあと《文庫》では、帰国後の整理や続編の抄録も付記する。）

ここで、両本の分量を比較してみよう。（数字は％）

	Ⅰ（1〜5節）	Ⅱ（6〜9節）	Ⅲ（10〜17節）
《文庫》	24	33	43
《全集》	23	24	53

両本の分量を比較してみると、Ⅰは同じだが、Ⅱは《全集》より《文庫》が九％多く、逆にⅢは《全集》が《文庫》より十％も多い。これに両本の特色がはっきりと示されている。《文庫》の第Ⅱ部の特色は、一つには原典の様式をふまえていることが挙げられる。すなわち、良い点と悪い点を問答形式で併記していること。また日々進めてきたことを日記形式にしており、自ずと自省の記録となっている。そして神への感謝は、病に倒れたときと二年が経ったときにていねいに描いている。

一方《全集》では、神への感謝は麦の件で出るが、熱病のところでは聖書を開くだけである。代わりに、やつれた犬が見守ってくれたことが記される。この忠犬と鸚鵡ポールについては《全集》では特筆されており、特に忠犬の死には四ページを費やして満腔の涙を注いでいる。

第Ⅱ部において《全集》の分量が《文庫》より少ないのは、上記の自問自答、特に神に関する部分が省かれているからである。そして生活面の創意工夫に絞って、その独立精励を浮き立たせているのである。

《全集》では、ロビンソンが命からがら島にたどりつき、翌日打ち上げられた難破船からいかだをつくって運び出したところで第Ⅱ部に入る。このあたりで著者の南は、彼が負けじ魂をもって、物資を運搬し島上に住居をつくる推進力を強調する。

ただ、命を護りたい一心と、血気さかんな青年の不撓不屈の精神力がなかったら、とてもできるものではない。…その大英国魂の力で、私はこれから先三十年近くの孤島生活の艱難辛苦を突破することができたのである。

ここでの原典との大きな相違は、《全集》では蛮人を残忍非道ときめつけ、勇猛心を奮い起こすだけであり、原典のような、彼らだけの習慣、神の創造への疑問、そして殺戮行為の抵抗がまったくないことである。

原典では、敵といいかねる蛮人を殺すことへの不条理さを執拗に考えているのに対し、《全集》ではこだわりなくひたすら悪漢と規定し、天罰として処している。このように善玉悪玉の規定を明快に分けているなど、単純に物語化していることは争えない。

さらに、あるとき絶好の隠れ家となる洞窟を発見し、その天井や壁に金や宝石が輝く壁を見るところである。《全集》ではここは驚くだけなのだが、原典ではそれを発見して小躍りし、その財産を持って帰りたいという願いを、帰郷の一大契機としているところも大異する。

(2) 第Ⅲ部［蛮人の来襲から帰国］

さて第Ⅲ、Ⅳ部ではどうであろうか。

生活がようやく安定したところで、なぞの足跡の発見から物語は急展開する。以降に展開される冒険小説的側面のなかでは、思索的要素はむしろ一層深められている。つまり、彼らを殺戮してよいものかの自問自答が繰り返されるのである。

第一の思索：神への感謝に至るまで

ある日砂浜を歩いていると、彼は人間の足跡を発見した。これは陸地から来た蛮人のものと思われ、恐怖におそわれる。そして、またもや神への信頼をなくし、人間の生活の不安定さを思う。

そして、神の深慮の目指すものが分からない以上これに反抗はできず、それに耐えなければならないと考える。そして、聖書の「苦難の日に私を呼べ。ならばお前を救い、お前は私を讃えるだろう」「お前の心を力づけたもう神に仕えよ」に救われる。

このとき神への祈りは、平和と感謝と愛に満ちた気持ちの方が、恐怖と不安にかられた状態のときより適していること、つまり祈りは身体より精神の行為であることを知る。

しかし、彼はたまたま蛮人が来ていない処に漂着しただけのことで、別の海岸に出るとそこには焚き火の後があり、捕虜を食べたあとの骨が散乱していた。そこで、身を守る工夫に費やすことになり、二重の防壁として植林を施す。

第二の思索：人肉を食することの是非

はじめ彼は、人が人を食するという行為そのものに、生理的な嫌悪を覚える。そしてそうした野蛮性を敢行する人種を断罪するのは当然と考える。ところが彼ら現地人はそれが習性なのだから、それを難じるのは文明人の一方的な評価ではないか、と考え直す。これは、辺境と中央の軽重は可能か、という課題を追っているといえる。

しかしさらに彼は、いかに習性とはいえ人が人をあやめることは、相手の全人格を否定することになり、やはりこれは容認すべきではないと、新たな思考に進む。ここには、一地域の習性という枠にとらわれない、生きとし生けるもの全生物において貫通されるべき公理の摘出がみてとれる。

しかし同時に、人間において生きものを食して生きながらえることの是非、かつそうしなければ生を全うできない、という背反する現実に突き進む。彼の思考は、まず人肉を食うことへの非人間的習性・悪魔的性向への憎悪があった。しかしそれに対し、神は天罰を下していないのはなぜかと考える。それを習性としている彼らを処刑する資格、介入する権利はあるのか。彼らが食人を罪悪とは思わないのは、人が牛を殺し羊肉を食うのと同じだ。また、戦争で捕虜を殺戮したキリスト教徒も同義だ。なによりも、彼らは自身を襲っていないではないか、と考え直す。そして、スペイン人がアメリカで土人を殺したような国家的罪悪、これは神の裁きに委ねるしかない、と。

しかしまもなく彼は、捕虜の人肉を焼き料理しているのを目撃した。そしていつ襲われるかと不安になった。そこで彼は再び、肉を食い合う蛮人の悪虐を神は認めるのか、と思考する。ここを脱出しようとすれば、殺されるかもしれぬ危険を伴う。その前に彼らを殺す正当防衛はあるが、その気にはなれなかった。こうした思考の逡巡は彼の良心を示して余すところがないが、と同時に読み手にも同様の思考を迫るのである。

フライデーとの出会い

こうしたなかにもロビンソンは脱出の思いやみ難く過ごすうち、現実にその機会がやってきた。彼は蛮人の宴を攻撃するが、そこでとらえたフライデーも、人食い人種であった。しかし彼は聡明かつ忠実であった。そこでロビンソンは、神はこれだけの能力を与えながら、その同じ人間になぜ邪なことをさせるのかと疑う。

彼の思索はさらに進む。第一に、神がこうした蛮人をつくったのは人智の窺い知れぬことながらも、なんらかの法則によるのであろう、ということ。第二に、われわれはその作物をつくった理由は問えないと考えて、神への批判を控え思考を停止するのである。

フライデーに教育する段でも、神の思考は展開されている。フライデーは、なぜ神は悪魔を殺さなかったのか、と問う。ロビンソンは、それは神はなぜ我らを殺さないのか聞くのと同じだ。我らは赦されているために、殺されることなしに済んでいるのだ、と答える。同時に彼は、これら救いの感得は、神の啓示によってのみ可能であることを逆に思い知らされる。そして聖書により、救済の教えがいかに平明で納得できるかに思い至る。

このように思索を一応、結論づけたうえで、以下、華々しい活動が展開されるのである。

さて蛮人は再上陸してくるが、ロビンソンは彼らを殺すことはしない。しかし彼らが捕らえた白人を殺そうとしたため、ここに戦闘となって捕虜を救い、その縁で帰国の糸口をつかむことになる。

＊

先述の通り、神への思索は原典の一大特色であるが、《文庫》は圧縮した形ながら原典を踏襲する、つまり神をめぐるロビンソンと従僕フライデーの対話を載せている。

しかし《全集》は、これらをほとんど割愛している。そして、蛮人と対決し、捕虜のフライデーを従僕として白人を救い出すというように、最後まで活劇の形としているのである。また、蛮人を撃つ椛島の挿画も迫力に満ちている。

このあと、食人種（という用語である）が遠くに上陸したのを目撃し、さらに難破船の乗り上げを見る。ここで、少年の溺死体と生き残った犬の話をするが、ここで《全集》は満腔の思いをもって描写している。

ここから先、蛮人に捕らえられ脱走した一人を救いフライデーと名づけるが、彼が食人種であるのは両本とも同じである。しかしその風習をやめさせ、やがてそれを愛の力で感化するところが《全集》の力点である。

こうして第3編では、さらに食人種がきてその捕虜が白人であり、彼らの大帆船の船内で部下の裏切りが起きる。そして捕虜の船長に帆船を奪い返させ、故郷に帰ることになるのだが、《全集》はその大乱闘がラストまで存分に描かれている。

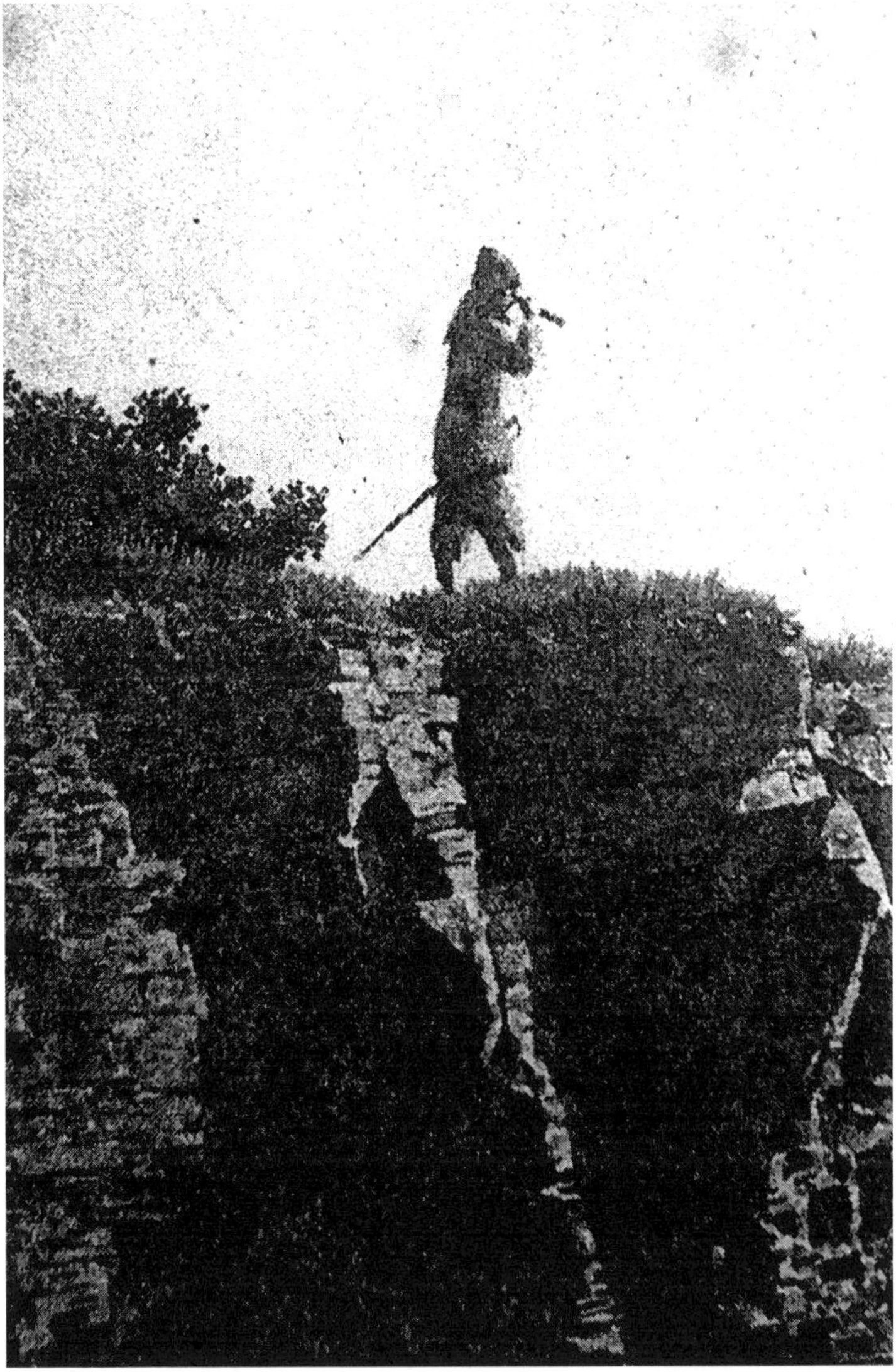

挿絵・椛島勝一
かばしまかついち

三本の特色と評価

以上、三本それぞれの特色をまとめてみよう。

まず原典の主人公は、漂着してから孤島で生活を営む過程のなかで、並々ならぬ創意工夫によって衣食住の糧を果たす見事な生活構築者であり、優れた技能者でもあることを示す。同時に、神への帰依によって絶望から心の平安を得る、というように心身両面の成長物語とみなすことができる。

《文庫》は、第Ⅰ、Ⅱ、Ⅲ、Ⅳ部すべてを圧縮しながら、バランスよく配置した〝セミ原典〟となっている。

そして《全集》は、冒頭からラストに至るまで快男児の邁進する冒険物語としており、その傍ら、けなげな動物たちの姿や従僕フライデーの雄姿を添えて、一篇の感激ものとしている。つまり心身両面で、振幅の大きい絵巻物の趣を呈しているのである。

これを少年文学として評価すると、どうであろうか。

《文庫》は、原典の姿を圧縮してまとめており、その本質をそこなわずに伝えようとしていることは評価できよう。その点《全集》は、換骨奪胎しているため、原典の本質を損なっている憾みがあろう。

しかし少年向きの読物として、どちらが彼らの興味を引き付けるかというに、それは《全集》の方ではなかろうか。《全集》は「はしがき」にうたわれているように、著者の強烈なメッセージが込められており、それは南洋一郎の再創造にほかならない。

むろん個々の点では、今日から見れば時代にそぐわないところもあろう。個室でひっそりと読むには、むしろ《文庫》の方かもしれない。しかし《全集》は、泥まみれになって遊ぶ子どもたちには受けるのではないか。

それは《全集》が、目標達成のために終始前向きの姿勢を貫いており、また正義のためには悪に対して渾身の力をふりしぼっているからである。これは本書の第一章「少年文学の再考」で確認したところの、少年文学の要件——夢・希望・冒険心といった要素を十二分に満たしているのである。

『宝　島』

一攫千金を夢見る男たちの闘い

スティーヴンソン

波乱の筋立てと活きた人物造型

『宝島』は、イギリスの小説家スティーヴンソンにより一八八一年につくられた海洋冒険小説だが、今に至るまで読み継がれている。

物語は、ジム少年を通して語られる。彼はブリストル港に近い入江の宿屋の息子だが、そこに泊まりこんだ老水夫を追って海賊が現れ、彼らは宝島の地図を探していることがわかった。これを見た大地主トリローニや医者リブジーはその島に出掛ける船の準備をするが、その船の乗組員に一本足の海賊ジョン・シルヴァーが紛れ込んでいて、船中でジムは彼らの宝を横取りする計画を知る。島に上陸してから、ジムの一行と海賊一味の対決となるが、地図の獲得をめぐって、シルヴァーとジムの虚々実々の駆け引きがかわされ、結局宝はジムらのものになる。それは、かつて島に置き去りにされたベン・ガンがそっくり宝を掘り出し、それをジムらが手にしたからであった。

このストーリーは年少者を対象としたものであるが、その波乱万丈の筋立てと生き生きした人物造型によって、大人をも引き付けて離さない永遠のエンタメとなっている。

児童文学としては、いま中高生向けには《岩波少年文庫》（《文庫》と略す）があり、年少者向けには《世界名作全集》（《全集》と略す）があった。前者は元本の岩波文庫をほとんど踏襲したものながら、読者対象を〈中学以上〉としていることが、まさに大人も子供も読み得るものであることを表徴している。（ちなみに、分量からいっても『宝島』は『モンテ・クリスト伯爵』などと違って、ほぼ同等に収まり得るものである。）

海賊たちの強烈な描写

では《全集》は《文庫》と同等の措置をとったかというに、著者高垣眸はそうしなかった。彼は「まえがき」でこう言っている。

「この物語に出てくる事がらは、なにしろむかしのことなので…読者諸君にわかりにくいかとも思われますから」「そのまま訳したのでは…そのおもしろさがのみこめない気がしました。そこで私は…原作のページを伏せてしまい…心に浮かぶままに、まったくじぶんの作品として再現しました。」

第一章に記したように、《全集》では著者表記の末尾は「〜訳」として付けていない。それはこの「まえがき」で特に了解される。では《全集》は、原作のどこをどのように改変していっているのかを、以下追ってみよう。

まずその最も大きい措置は、冒頭に第1編「フリント船長の海図」を設けていることである。《原典》の構成は、ジムの宿屋から始まっている。そして大海賊フリント船長の宝隠しの経緯は、物語の進行のなか、特にベン・ガンの話のなかに出てくる。しかし高垣は、その経緯をすべて地の文におこして、冒頭から始めるのである。

その第1編で描かれるのは、前述のように物語の起点となったこと、つまりフリント船長がどのようにして世界中から略奪した財宝を埋蔵していったかの経緯である。ここで何よりも読み手に強烈に刻み付けられるのは、フリント船長の人物造型であろう。それは《原典》では、宿屋における人々の話のなかに出、そこで、聴くだけで震え上がるほどの恐ろしい海賊であったことが描かれる。しかし年少の読者にはそうした間接的描写よりも、《全集》のように直接描かれる方が、はるかにその恐怖が直截に伝わってくるのである。

するとその時…昇降口から甲板へあらわれたたくましい大男があった。金モールのついた青い上着を着た、肩はばの広い、どこも鋼鉄のようにがっしりした感じの男で、長いカトラスを腰につるしていた。この男こそ、海の魔王と恐れられる、大海賊フリント船長なのだ。

このフリント船長は、絶海の孤島に四人の新米海賊に宝を運ばせ、森林の奥深くに埋めさせたあと、その秘密が洩れぬよう撃ち殺してしまう。ところが彼らのあとをつけ、この一部始終を見てしまったのが、おめでたいベン・ガン（《全集》ではベン公）であった。それに気がついたフリント船長は、猛然と彼に一撃を浴びせようとする。

フリント船長はおどろいたように叫んだが、みるみる悪魔みたいな顔つきになって…腰につるしていたカトラスをぎらりと引きぬいた。

必死で逃げるベン公は、海岸に追い詰められる。

…このようすを見つけたフリント船長は、残忍な笑いをうかべて、厚い唇をなめながら、大カトラスを左手に持ちかえると、腰おびから、大型のけん銃をぬき出した。

こうしてベン公も絶壁から落ちていく。

翌日の海王（シーキング）号（フリント船長の船）の甲板上でも、船長の描写は続く。肩はばの広い、がっちりした体格。にが虫をかみつぶしたような恐ろしい顔には、わしのようにとがった鼻と、ひょうのようにするどい目とがあった。長い大カトラスをつえについて…どなりまくるけんまくに乗組員どもはみな、ふるえ上って真剣に働いた。

加えて、彼の手下である「むこうきずのビリーと呼ばれて、左の頬に鉛色の大きな刀きずのある一等運転士」、「いつもおうむを肩にとまらせて陽気な歌ばかり口ずさんでいる、かじ取りのシルヴァー」、「アルコール中毒の…水夫長のピュウ」それに黒犬（ブラック・ドッグ）に、砲手のハンズらの姿もここで描かれる。

ここまで、当時世界中を荒らし回ったイギリス海賊たちのこうした形象によって、読み手は、いかに彼らが恐れられた存在であったかが強烈に刻み付けられるのである。

次に本編の大きな山場は、海王号が遭遇したフランス軍艦ルイ三世号との激突である。その凄まじい戦闘描写は、『少年倶楽部』で満天下の読者の血を沸かせたという高垣の腕の冴えが最高度に発揮されるところで、これまた彼らの命知らずぶりを伝えて余すところがない。

しかし同時にこの戦闘で受けた傷も大きく、フリント船長は瀕死の重傷を負い、舵手のシルヴァーは左足を失い、水夫長のピュウは失明してしまった。これにより読み手は、以下に登場してくる彼らの障害が、この大海戦によって負ったものであることを知るのである。

変わって指揮を委ねられたビリーは、フリント船長の死の床から宝の地図を見つけ出し、行方をくらます。こうして《全集》は、《原典》の開巻部分につないでいくのである。

著者自身が前面に出た語り口

さて第二編以降、高垣はどのように改変しているのかを、《原典》と比較しながら追ってみよう。ここで、本物語のヤマとなる処をおさえながら、改めて構成をたどりなおしてみたい。

《全集》の「第二編　老海賊」では、宝の地図をジムが確保するまでであるが、ここで荒くれたビリーの言動、そして彼を追ってくる一味を通して、海賊がいかに恐れられた存在であるかが存分に示される。特に盲人ピューの号令で、ジムの宿を襲う場面は、当のジムともども手に汗をにぎるところで、ここは両本ともいずれ劣らぬ迫力を有している。

「第三編　船の料理人」では、海賊一味が宝探しの一行に紛れ込んだものの、ジムが彼らの陰謀を盗み聴きしたため、島の到着寸前にその本性がばれてしまうところまでである。ここではトリローニたちをまんまと信用させおおせるシルヴァーの役者ぶりが際立つところである。初めのトリローニが船と水夫を探し当てる経緯は、《原典》では、彼が医者に宛てた長い手紙に記される。しかし《全集》では、これをすべて書き手が地の文で綴り直している。これは年少者にとってわかりやすく、通りがよい措置といえる。

物語の主役となるシルヴァーは、ここでいよいよ登場するのだが、両本の叙述方法は大きく異なる。《原典》のトリローニは、偶然の機会にシルヴァーと口をきき、彼のもう一度海へ出たいとの望みに共感してコックに雇い入れ、それを機にシルヴァーは、屈強で老練な水夫の一団を集め得た、という。この記述は書簡体だから、すべてトリローニを通してシルヴァーの人となりが伝わるだけである。

それが《全集》では地の文で描かれる。彼シルヴァーは、遠征のためにトリローニが買い入れたヒスパニオラ号を賛嘆し、自分の足は王国海軍の奮戦時の名誉の負傷であるといってトリローニを感激させ、水夫を苦もなく集めてすっかり信頼をかちとるのである。

だがここで《全集》作者は第一編を振り返り、シルヴァーは海王号の海戦での生存者で、ビリーが警戒した相手も同じ名であり、「怪しいのはこの男だ」と書く。《原典》ではジムが、ビリーの言っていたという一本足とはこのシルヴァーでは、と疑うのだが、その快活な気性に疑いを払拭することになっている。

よって《原典》の方が、前歴を隠しての気さくな物言いが、彼の役者ぶりを際立たせるといえる。しかるにジムがこのことを疑う記述を入れておらず、作者が代弁している体の《全集》とは、両本一長一短半ばするが、このように作者が前に出て物語る形こそ《全集》の特色なのである。

（ただ《全集》では、このあとシルヴァーの営む店で、ジムが黒犬（ブラック・ドッグ）を見つけたときは疑ってシルヴァーに告げるのだが、彼は巧妙にその場をつくろうので、ジムはそれ以上追究しない。そして、シルヴァーの真剣な様子に彼の誠実さが際立つとしているので、ここは《原典》と同様の形になっている。）

しかしいよいよ船出の段になり、水夫たちが、

十と五人で、棺桶の島によォ／流れ着いたが、ラム酒は一瓶よ／ヨーホホノホーイ

と合唱する段になると、《原典》でのジムは、これを聴いて懐かしい海軍亭を想い出すのだが、この記述で止まっているのは首をひねってしまう。ここは《全集》の作者のように「その歌こそ海賊の歌ではなかろうか？」と疑問をさしはさむのが至当というものだろ

う。

さて島の到着前に、この船上でジムが彼らの陰謀を盗み聴きするのだが、この場面が《原典》と《全集》では大きく異なる。甲板のりんご樽の中に入り込んだジムは眠りこけてしまうが、目覚めて耳にしたシルヴァーの策略話に驚く。出るに出られぬところに、シルヴァーがリンゴを取ってくれという指示に、ジムが総毛立つ場面である。

《原典》では、シルヴァーの命で部下が樽に近寄ったところで、シルヴァーが「いやラムがいい」と所望し直すので、ジムは危く助かる。ところが《全集》では、部下がリンゴを取るべくナイフで突き刺そうとするところへ「島だぁ！」という叫びに皆が馳せ向かう、となっている。

（この《全集》の改変は劇的な効果をもたらしているが、これは既に海外でなされていた改変の流用なのであろうか。というのは、筆者が年少時に見たディズニー映画『宝島』がこれと全く同じ設定になっていたからである。ちなみに《文庫》では、原作と同じである。）

さてこうしてジムの第一の功績が記され、すっかり大人たちの頼りにされるのだが、《原典》でのジムは役目の大きさに「たよりない心細い気がした」とするのに対し、《全集》では一人前の水夫として認められた喜びを感じたとしている。

挿絵・嶺田弘

「宝島に上陸して」

この第四編「宝島に上陸して」に入り、スモレット船長は海賊らを先に上陸させる。ところがジムも、好奇心からボートに乗り移ってしまう。その彼は島で、衝撃的な出来事を目の当たりにする。それは海賊の仲間から離れたいと言い出したトムという男を、シルヴァーが説得しているところである。《原典》では二人の言い分を均等に伝えていくだけだが、《全集》では初めに、ジムが味方のできたことにうれしさをかくしきれない様子を描く。このころ船上では、水夫のグレイが味方につくのであるが、それをまだ知らぬジムだったから当然のことである。

しかしその期待は、シルヴァーの投げた松葉杖の一撃で、トムが倒されることで打ち砕かれる。さらにシルヴァーはナイフでとどめをさすが、あまりの無惨さにジムは正気を失う。《原典》ではこの後始末をゆうゆうと進めるシルヴァーを「怪物」と名付けるが、それはジムの目を通しての描写である。これに対して《全集》では彼を「悪魔」と呼び付け、ここでも作者自らが以下のように前面に出て語り尽くすのである。

…悪魔のようなあの人殺しは…平気な顔つきで、ナイフの刃の血を、草の葉でぬぐっていたではないか。ああ、たった今…あれほど喜んだ少年の心持は…たちまち、恐れとかなしみとのどん底へ突き落されてしまったのだ。

島でジムが遭遇したもう一つの大事は、ベン公(《原典》ではベン・ガン)との出会いであったが、ここが両本では大きく異なっている。《全集》でのベンは、フリント船長に追い詰められ、崖下に転落することになっている。だから彼がジムに見つけられたとき、《全集》作者は感慨を隠さない。

鉄砲のベン！　…フリント船長に見とがめられ…断崖のはずれから逆巻く怒涛の中へ落ちたあのベン公が…今なお生きながらえてこの島にひとり住んでいようとは！

注目すべきは、《原典》での彼の話である。それによれば、フリント船長が宝を埋めたとき、ベンは六人の水夫が島に一週間いたが、ある日船長が青い顔で船に独り戻った。ビリーやシルヴァーは宝はどこにあるのか船長に聞いたが、自分で探せと言われる。そのときそばで聞いていたベンは、その後この島を通ったとき、ここに宝があるはずだと、仲間と上陸して探索する。しかし見つからず、怒った仲間は、ベンを置き去りにして戻ってしまう。だがその際に、鉄砲と鋤と鶴嘴を置いていかれたので、彼はそれで宝を見つけ自分のものにした、というのである。
つまり《原典》では、ベンは置き去りにされたものの宝を見つける条件はそろっていたのである。《全集》はこうした、彼の財宝所有の意外性を弱める箇所をカットしているところも見落とせない。

「柵小屋の戦闘」

この第五編「柵小屋の戦闘」の出来事は、《原典》では医者が語るのだが、《全集》ではここでも地の文にしている。

ここでは多勢の海賊を相手に戦う味方の奮戦、特に彎刀（カトラス）による白兵戦の描きぶりがまた、著者高垣の腕を発揮しているだけではない。そこに至るまでの以下のような人物言動の描写は、読み手の頼もしさを倍加させずにはおかないのである。

…トリローニ氏は…落ち着いたようすで銃をしらべた。…まるで…猛獣を発見した時と同じような自信にみちたありさまだったので、一同はいい知れぬ頼もしさをおぼえた。

グレイは手につばをつけ、ぐっと眉をよせながら…彎刀を…ぴゅうぴゅうと宙に打ち振ったが、そのようすからもまた、すばらしく頼もしい味方であることが感じられた。

この白兵戦で敵を多く倒したものの、味方も傷つき、船長をはじめ死傷者を出した。そこでベン公を仲間に引き込もうとするのだが、《原典》はこれを医者の思いつきとするが、《全集》は医者とトリローニとジムとの衆議の結果であることを、会話体でていねいに叙述しているのもわかりやすい。

しかるにジムは、またしても潜入の思いやみがたく単独行動に及ぶ。そこでヒスパニオラ号をずっと別所に移動までさせるのだが、一時は運搬用の皮ボートがあわや漂流の危機にあう。ここでのジムの激しい後悔の念や、母を思うところがあり、彼がここも主役であることを想起させる。

…涙がとめどなくわいてきた。…味方の人たちを…置き去りにして…船までも失わせて…島流しにしたのは、このじぶんだ！　…ジム少年は…目を閉じた。…すると…海軍亭の建物や…母のおもかげが、ちらと頭をかすめたのだった。

英国紳士の精神

ここで特筆したいことがある。それは『宝島』ほど英国紳士の精神を標榜している物語はあるまい、ということである。それは両本共通して見られるものである。

…トリローニ氏は…めめしい泣き言などは一口もきかないで…さすがにりっぱなイギリス紳士の標本みたいな人がらだ。

シルヴァーは大声で笑った。「…相手は、うたねえといったらうちやしねえ。わしは紳士ってものを、よく知ってるんだからだいじょうぶだ。…」

「…おいジム、おめえは、紳士の約束を守ることができるかね?」「誓うよ。ぼくは、卑怯者じゃないんだ。」

ここで筆者は、こうしたシルヴァー像を成り立たせる、その元にある思想は何であるかを探りたい。すなわち《原典》だけにみられる訳語なのだが、彼の言葉に再三登場する「分限紳士」という語である。これは原書では〝gentleman of fortune〟で、直訳すれば「財産ある紳士」である。これは当時の英国の海賊たちは、つまらぬ小泥棒と違って、自分たちは一段上の存在であると誇って付けた呼称の由である。

訳者らはこの語に「天下の親分さま」（阿部知二訳《岩波文庫》）とか、「冒険家」（海保眞夫訳《新・岩波少年文庫》）とか、「海のお大尽さま」（坂井晴彦訳《福音館文庫》）とかの訳語を当てているが、どれも不適格である。それはgentlemanの訳語を充てていないからで、《原典》の「分限紳士」だけが唯一の適語である。（もっともこの「分限」は、前述のとおり他の小泥棒と区別する意味も込めた意訳であり、fortuneを反映していない。その意味の限りでは坂井の訳語がよい。）

つまりここでは、イギリスがいかにジェントルマン精神を矜持としていたかを示すとともに、反面それが、七つの海を制覇した蛮族の行為と裏腹の関係でもあるという意味で興味がつきない。と同時にその海賊もまた、なりふり構わぬ無頼漢とは一線を画し、一定の見識を有しているものであり、彼らはその矜持のもとに行動しているという誇りが、「分限紳士」——分を弁えた賊人の名称なのであろう（日本でいえば、仁義を尊ぶやくざに通じるものであろうか）。

その表出せる人物がジョン・シルヴァーその人なのである。彼の言動ぶりが、ひとり賊人の枠を越えて、社交界においても優に伍するものになり得るであろうことは、本話における大人たちと並べてみれば、想像に難くないところである。かくて単純な一味とジョン・シルヴァーの一頭地を抜いた巨きさが存分に発揮されるわけであろう。

ここでもう一つ『宝島』という物語の展開のありように、われわれは深く思いをいたされる。というのは、島の宝をめぐっての争奪戦は、武力にものをいわせる海賊と、知力でこれをかわしていく市民とのたたかいなのであるが、地図を手にしている市民の側は、終始優位に立っている。これを武力で奪えば話は簡単だが、実際にはそうはいっていない。

つまり武力の多寡の違いでカタがつく海上でなく、舞台はオカの上である。そこでは武力でなく法律が支配する。すなわちシルヴァーらは、言葉の端々でおかしいくらい極刑を恐れている。つまり現実は武闘戦でなく、頭脳戦なのである。これをまっとうにとらえていたのがシルヴァーであったことは、第7編「シルバー船長」で、不満分子に集中批判を浴びたシルヴァーが彼らにまくしたてた言葉——すなわち、国に戻ったときの措置に思いを致していることで明らかである。

こうした頭脳をもつ海賊シルヴァーと、宝の地図をもつ市民派・ジムらとの対決としたところに、ありきたりの冒険ものでない『宝島』の優位性があるといえよう。

「ヒスパニオラ号」

この第六編「ヒスパニオラ号」で、ジムは砲手ハンズとの死闘のすえヒスパニオラ号を奪取したが、喜び勇んで戻った小屋は意外にも敵の手に渡っていた。あわや命を奪われそうになった彼を、シルヴァーはかばう。それは彼を人質にとることで、帰国後の命乞いを頼めるという打算のためであった。

わきおこる部下の不平の数々を、彼はあたりをゆるがす怒声で次々と論破していく。《全集》は、ジムがこのシルヴァーの知恵、勇気、胆力に感服したとし、著者高垣も、再び頭領の地位を回復させた彼のすご腕に感嘆している。つまりシルヴァーのもつ卓抜な雄弁、度胸、機略は、倫理道徳を超えた真実を放っている、ということになろうか。

ジムがシルヴァーの分身であることは、シルヴァー自身の口からも言われている。上記のシルヴァーの特質の数々は、人間の備える魅力部分であり、ジムもそれらは有している。よってシルヴァーの持つもう一方の面―悪徳性という倫理的マイナスを払拭した人間像がジムその人である、といえるであろう。

さて小屋には突然医者がやってきて、ジムとの面会を求める。それに応じようとするシルヴァーに部下は反対するが、ここでも彼は雄弁にまくしたててこれを押し止める。高垣はこの彼を「煙にまいたそのようすは、舞台のどんな名優だって、シルヴァーのこの調子にかなうものはあるまいと思われるほどだった」としている。

しかも一方でシルヴァーは、ジムだけが頼りの危い瀬戸際に立たされており、頰がこけ、声の震えも見せているわけで、その千両役者ぶりが際立つ。その彼のねらいも、《全集》

は以下のように読者に十分説明しているので、大変わかりやすい。

シルヴァーのわるがしこさは、底が知れなかった。かれはもし宝探しがうまくいけば…船を見つけ出して島を逃げ出すのはきまっていた。ジムを人質にとらえておくのは、じぶんの身が危くなった時に、役に立てるだけの目的だったのだ。

「シルヴァー船長」

この第七編「シルヴァー」船長で、ジムは医者と会見中の「いま逃げ出せ」との言葉をきっぱり断ってシルヴァーを感激させ、二人は運命共同体となる。こうしてジムは縄をつけられ、一行は宝探しに向かうが、その地点はすっかり掘り返されていた。部下たちは今度こそこの事実を招いたシルヴァーの責をせめるべく、突撃しかかるところへ味方の銃撃で救われる。宝はベンがそっくり運んでいたのだが、《全集》はその間の事情（またジムらを救い出したまでの経過）を、第八編「フリント船長の宝」でていねいに述べている。

さてジムとシルヴァーは共に非難されるべき行為をしでかしたわけだが、彼らをベンの洞穴に迎えた個々の対応が様々である。トリローニはジムを一言もとがめなかったが、シルヴァーには憮然として、告訴は断念するが死者がまとわりついているのを自覚せよと叫ぶ。船長は、シルヴァーには何もいわず、ジムには手におえぬ奴だという。

これら二人の対応は、《全集》には（トリローニはジムを一言もとがめず、の部分を除いては）書かれていない。それはこうした度を越えた行動は、冒険小説にはふさわしくないという市民の常識的な感覚のなせるわざであろうか。

《全集》の特色と意義

さて、こうして見てきた《全集》の特色と意義は何であろうか。

何よりも第一には、作者高垣が自らの考えを大きく前面に出していることである。それはまず、物語の再構成に顕著で、第一編の増補はその好例である。ここにおいて読者は荒くれた海賊のイメージを人物や情景で刻印され、登場人物の人となりや、宝の埋蔵の経過をよく知ることができる。

この措置は、青少年読者の興味を喚起させるよう高垣が大胆に施したものであり、彼がまえがきで宣言しているように「原作の主旨を損ねていない」といってよいであろう。

第二はここまで述べてきたように、著者高垣は至るところで顔を出して物語の説明をしていることである。

さらに見るべき第三は、登場人物への力点の置き方の違いである。本話の主人公は《全集》ではジム少年（「登場人物」で最初に紹介）であるが、《原典》ではもともと原題が「船のコック」であったように、シルヴァーが主人公と見做される。だがジムは、そのすばしこさ、勇気、胆力においてシルヴァーの分身といえることは、彼自身の口から「自分の若いときとそっくりだ」と言わしめていることで明らかである。それだけでなく、先述したようにジムも紳士の精神を有しており、その意味でも両者は等身大の位置を占めるものである。

とはいえ、その存在感、スケールの大きさからいって、シルヴァーが格段に上であることは論をまたない。けれども高垣は、ジムをあえて「ジム少年」と名付けて主役の位置においた。それは少年文学のシリーズたる《全集》の一冊を占める措置として妥当なものであろう。そして高垣は、至るところでジム少年に焦点を当てようとしていることは、彼が設けた《全集》の節タイトルを見るだけでもその一端が知れるのである。

ジム少年帰る（第五編）、ジム少年の思いつき、今こそジム船長（第六編）、ジムは卑怯者か?、ジム少年の誓い、逃げようジム（第七編）

増補した第一編のダイナミックな内容、勇躍するジムによりそった叙述、そして（直接、著者が顔を出すのをいとわず）読者に語りかける情熱的な直接話法により、《全集》は『宝島』の魅力を存分に青少年に伝えているといえよう。

『巌窟王』

未曾有の体験をくぐった超人の怨念

デュマ

一篇の復讐譚

『巌窟王』（原名『モンテ・クリスト伯爵』）は、一八四四〜五年にアレクサンドル・デュマが著した長編で、今に至るまで世界中で愛読されている。

それは主人公のダンテスが、彼の栄達を妬んだ者たちの策略によって入れられた牢獄から脱出し、碩学の法師ファリア（『巌窟王』はファリヤ法師）から得た巨万の財宝を資に、都で次々に報復していくという、波乱に満ちた筋立てに魅了されるからだろう。

この世界に冠たるエンターティメントとして定位された作品に対し、いま検討したいことは二点である。第一は、岩波文庫で七冊という膨大な分量を、《岩波少年文庫》（《文庫》と略す）で三冊、《世界名作全集》（《全集》と略す。著：野村愛正）で一冊に絞ったとき、どれを取捨選択しているか、ということ。第二は、大人向けに書かれた内容を年少者向けにしたとき、どれを採り削ったかということ。つまり少年文学として扱うとき、量と質の両面をどのように采配したか、ということである。

とはいえ、この両者は互いに密接に関わってくる。すると、この作品のテーマ（主題）は何か、ということになるし、またそれをどうみるかによって上の采配の仕方も定まってこよう。つまり、主題（質）を抽出しつつ、分量をどこまで絞れるか、ということになる。

では、ここに取り上げる『モンテ・クリスト伯爵』は何が主題か。それは獄中の身から一転、実社会に復帰し、そこで自分を陥れた人間たちに復讐をはかっていく、という物語であるから復讐譚ということになる。

少年小説としての妥当性

ここで、このテーマの少年小説としての妥当性を考えてみたい。このテーマは、少年小説としては甚だなじみにくいものであろう。というのは少年小説の本意は、本書の末尾に「待て、しかして希望せよ！」にある通り、希望でなくてはならないからである。

とはいえその一方で、人が人に復讐していく、その一歩一歩の過程はなんといっても面白く、そうした復讐譚は、わが国の「忠臣蔵」などが、根強い人気を保っていることでもわかろう。

では復讐の完遂という原典のテーマを基軸に据えつつも、それは少年小説としては、かの本意にどう組み込み得ているのか。このことを念頭におきつつ、以下《全集》を中心に、

《文庫》や原典を照合しながらみていきたい。

《全集》の構成―第一編

まず目次を見ると、《全集》では、第一編「シャトー・ディフの囚人」と第二編「なぞのモンテ・クリスト伯爵」と大別している。これは獄中からパリの社交場へという、劇的な対比を抑えた頷ける措置である。

原典では、まず初めの第一、二、三章で、本作の主だった人物をすべて登場させる。ここで、それぞれがどのような人となりかを説明する。その傍ら、ダンテスが船長の病死にあたって極秘の手紙を託され、パリに赴くまでを描く。

次に第四章で、彼の出世をねたむダングラールが、ダンテスの婚約者メルセデスを好くフェルナンと共謀し、ダンテスを陥れる密告状を偽造する。仕立屋のカドルッスは、それを検事代理のヴォルテールに持っていき、そこにナポレオン蜂起の報があり、ダンテスも疑われる。何も知らぬダンテスは結婚披露の場でいきなり拘束される。そして彼はヴォルテールに尋問されるが、ヴォルテールの父はボナパルト党であることから、王党派の世下で出世を阻まれるため密告状をもみ消し、ダンテスは投獄される。

《全集》は全体を圧縮するため、初めの謀議場面を端折ったここから始められ、上の顛末はすべて獄中で出会うファリア法師による推察のなかで明らかにされる構成をとっている。つまり、原典は時間順に即した叙述だが、《全集》ではいわば演繹的な手法をとったといえる。《全集》の記述は、法師がダンテスに一つ一つ問いかけながら真相を明かしていき、遂に陥れた者たちをたどり当てる形を、地の文で補いながら再現している。

しかし原典で（文庫本で）二六〇頁も費やした事柄から、主に三人の陰謀の説明に絞ったとはいえ、法師の口からだけで説明されるのはかなり難しいものがある。（じっさい年少時の筆者には分かりづらかった。長じて原作を読み、手に取るように理解できたのに驚いたのが正直のところである。）

脱走時の殺戮の是非

ところでここで、本話のテーマに関わる甚だ重要な部分が現れる。それは、ダンテスが法師と脱走を試みる計画の際にかわす会話である。長いが原典を引用する。

ファリア「…わしは罪を犯したくない。…人の胸を貫き、人の命を絶つことはできないのだ。」／ダンテス「…自由になろうというときに、そんな小さなことにこだわったりしようとおっしゃいますか。」／ファリア「…（では）なぜあなたは、或る晩テーブルの脚で獄丁をなぐり殺し、その着物を着て脱走しようとしなかった?」／ダンテス「考えつかなかったまでなのです。」／ファリア「それはあなたが、そうした罪を犯すことを本能的に怖れていたからのことなのだ。それをすることを、考えられないほど怖れていたからなのだ。…たといそれが、ごくつまらない、やってのけてかまわないようなことであっても、われわれの自然の本能は、われわれが、やっていいことからそれないようにいつも見はっていてくれる。生まれながらに血を見るのが好きな虎の場合を見るがいい。…手近かに餌物のいる…すると虎は、たちまちそれに飛びかかる。それに跳りかかって引き裂いてしまう。これが虎の本能だ。…ところが、人間は逆に血を嫌う。人殺しを厭と思わせるもの、それは…自然の掟にほかならないのだ。」

ダンテスは、すっかりまごつかざるを得なかった。…つまり、考えのなかには、頭から出てくるもの、心から出てくるもの、こうした二種類のものがあるわけなのだ。

虎は血をみるのは平気だが人間は厭う、というように、殺戮に伴う流血は、人間の生理的反応が拒否するというのである。これは大変わかりやすい説明であろう。

ここは《全集》ではどうか。

ダンテスは脱獄の際に獄丁を殺せばいい、という。しかし法師はそれはしてはならないという。ダンテスはそんな些細なことを、と驚くが、「ならば、どうして今まで獄丁の喉を締め上げなかったのか。その着物を着て脱獄ができたではないか」と問う。ダンテスは「それは思いつかなかったからだ」と答える。すると法師は「それは、そうした罪をおかすことを恐れているからだ」といい、「考えつかなかったほど恐れているからであり、それが人間の真心というものじゃ」というのである。

一方《文庫》ではここを、法師は「わしは物だけを相手にするつもりだったが…人間の胸をうがち、人間の生命（いのち）をほろぼす気持ちはない」、つまり神につかえる身で罪ある人間になりたくない」と退ける。ここでこの件は終っている。

以上、三者三様の言い方ながら、根本に人間は他者を殺すことは罪だとするのだが、それを戒めるにあたり、《全集》は「真心」といい、《文庫》は神に背くといい、原典は嫌血（自然の掟）をいう。

ここで、《文庫》の神に背くという言い方では抽象的であり、その点《全集》が本能的なものを持ち出すのは、原典の嫌血（自然の掟）に通じるものであろう。

いずれにせよ、ここで人をあやめてはならぬという法師の諭しは、後半、奸計を用いた三人を裁くのに、ダンテスは手をくだしていないことと太くつながっている。その意味でこの件は重要である。

さて、法師がことの全容を説き明かすと、ダンテスは復讐を誓うので法師はそれを悔やむ。ここに復讐の拒否観が示され、それは是か非かの大論題が後半クローズアップされるが、ここはその伏線となるのである。

復讐行為の論議―第二編

さて第二編に移って、その復讐がどう完遂されるのかを追ってみよう。

ファリア法師の言葉どおり莫大な宝を見つけたダンテスは、モンテ・クリスト伯爵と名を変え、パリの社交界に姿を現わす。彼はまずカドルッスの宿に赴き、自分を陥れた三人がいかに出世しているかを聞き出す。そこで伯爵は、三人の夫人や息子たちをすっかり信用させおおせたあと、上流社会に確固とした地位を確保する。

ここまでは三本とも大差ないが、伯爵自身は、どのようにすれば復讐を果たしおおせるものと考えていたのか。それを原典の伯爵だけは、アルベール（フェルナンとメルセデスの子）の友人フランツに、刑罰のあり方をかなり踏み込んで論じている（原典：三五　撲殺の刑）。

伯爵は言う。「もし一人の男が、その人が失われたら永遠に傷口を残すような責め苦を与えたうえで殺した場合、断頭台のようにわずか数秒間の苦痛を嘗めさせただけで償いを得られたとお考えか」と。フランツは、「人間の正義などは、慰撫という意味では甚だ不満足だ」と頷く。次いで伯爵は「社会は、死に酬いるに死をもってする。しかし、人間を苦しめる方法は無数にあるのに、不十分ながらの復讐さえしないでいる。過去のさまざまな刑をもってしても緩すぎる犯罪に対して、社会はなんら相応の刑罰を与えないのでは」という。

ここで、例えば決闘などの方法はなにほどのことではない、とした後、伯爵は「長く、深い、無限な、永遠な苦痛に酬いるには、相手から与えられたのと同等の苦痛を与えるべきだ」と言う。フランツが、「それでも法の枠をはみ出るのは難しかろう」と言うと、伯爵は「それは巨万の富を擁し、腕が冴えている場合には可能なことだ」と言うのである。

これは以降の彼の行動を予兆させるものであるが、伯爵の徹底した報復のあり方を如実に示した点で興味深いところである。

復讐行為の実際

こうして伯爵は順次復讐を遂げていく。彼はまず、モルセールと変名したフェルナンの過去——軍人のときに仕えた総督アリ・パシャ（伯爵の愛人エデの父）を裏切って出世した——をあばいていく。このモルセールの過去は、元老院の委員会という満座のもとで、エデの証言により明かされ、モルセールは自殺する。これが、復讐の第一である。

なおこのあばきでは、エデもまたモルセールに対して復讐を目指していたことが語られる（つまり、入れ子の構造になっている）。彼女の父は、トルコ軍の戦いの際、モルセールの裏切りによって無念の死を遂げたからである。ここで注目されるのは、原典では、キリスト教徒でありながら復讐を考えるのは主の許しを乞わねばならない、とするところである（原典：八六　審判）。

これについては、主のおゆるしをねがわなければなりませんが、わたくしはキリスト教徒でありながら、いつもありっぱな父の復讐をしたいと考えつづけておりました。

このエデの証言が《全集》《文庫》では省かれていることに注意しておきたい。この証言は後述するように、キリスト教と絡んだ「復讐の是非論」と深く関わるからである。

次にヴォルテールに対しては、第一夫人との不義の子ベネディクトを生き埋めにしたことを、これまた満場の法廷で認めさせる。同時に、第二夫人と息子は、財産目当ての第一夫人の手により毒殺される。重なる不祥事に錯乱したヴォルテールは、ついに発狂してしまう。第二の復讐は、こうして成し遂げられる。

最後の復讐でのダングラールは、財産を身ぐるみ剥がされて世間に放置される、という形で終る。

殺戮と復讐の関係

ここで、三本における殺戮と復讐の関係につき、論点を整理してみよう。

ダンテスが第一篇で、法師との会話によって突き当った難題は二つであった。第一に、脱走の際に看守を殺してはならない、つまり殺戮の禁止である。第二に、復讐行為の忌避である。

まず第一の、殺戮の禁止である。ダンテスはそんなことにこだわるのか、と驚くが、法師はいままでそれを思い至らなかったことの事実を衝く。そして、人間をあやめることを避けるべき理由は、①それが罪だ、ということ、またそれは②人間の無意識の忌避＝生理的嫌悪によるものであることをいう。

だがこの理由づけは、先述のとおり諸本は一致していない。

原典では、まず①をいい、次いで②をいう。その②の例として、血に対する嫌悪が虎にはなく人間にはあるといい、それは「自然の掟」である、としている。そして原典はそれを「人の考えのなかには、頭から出てくるものと、心から出てくるもの、との二種類があると説く。つまり人間の本性に分け入っていくのである。

ところが、《文庫》は①だけを言っており、②が見られない。そこへいくと《全集》は原典を踏まえている。すなわち、まず①をいい②に移る。そして《原典》のような、血に抵抗ない虎の例は出さないが、人間の本能的忌避を指摘し、これが人間の「真心」だと説くのである。

原典の例が一番わかりやすいが、《全集》はそれを引かないまでも、肝要なところをわかりやすい言葉で成している、といえよう。

次いで、第二の復讐行為の是非である。第Ⅰ篇において、ダンテスの復讐を誓った顔を見て、法師は顔を曇らす。それはその行為が、先述の①との一体が想起されたからであろう。つまり、復讐は殺戮と一体化するものと見られるからである。

しかしここで、そうでない復讐、つまり殺戮を伴わないそれはどうなのか。それも否定されるのかは本文では、判然としない。いや、法師が復讐を否としているのははっきりしているが、それは殺戮を伴うかもしれぬからなのか(先のダンテスの提案から想像できる)、殺戮にならぬまでも、復讐そのものを否としているのかが不明瞭なのである。

この件は留保されたまま物語は、いかに脱獄するか、その手立てを探る形で進められる。ところで、脱獄が成功したあかつきは何をするか、二人の目標は異なる。すなわち①法

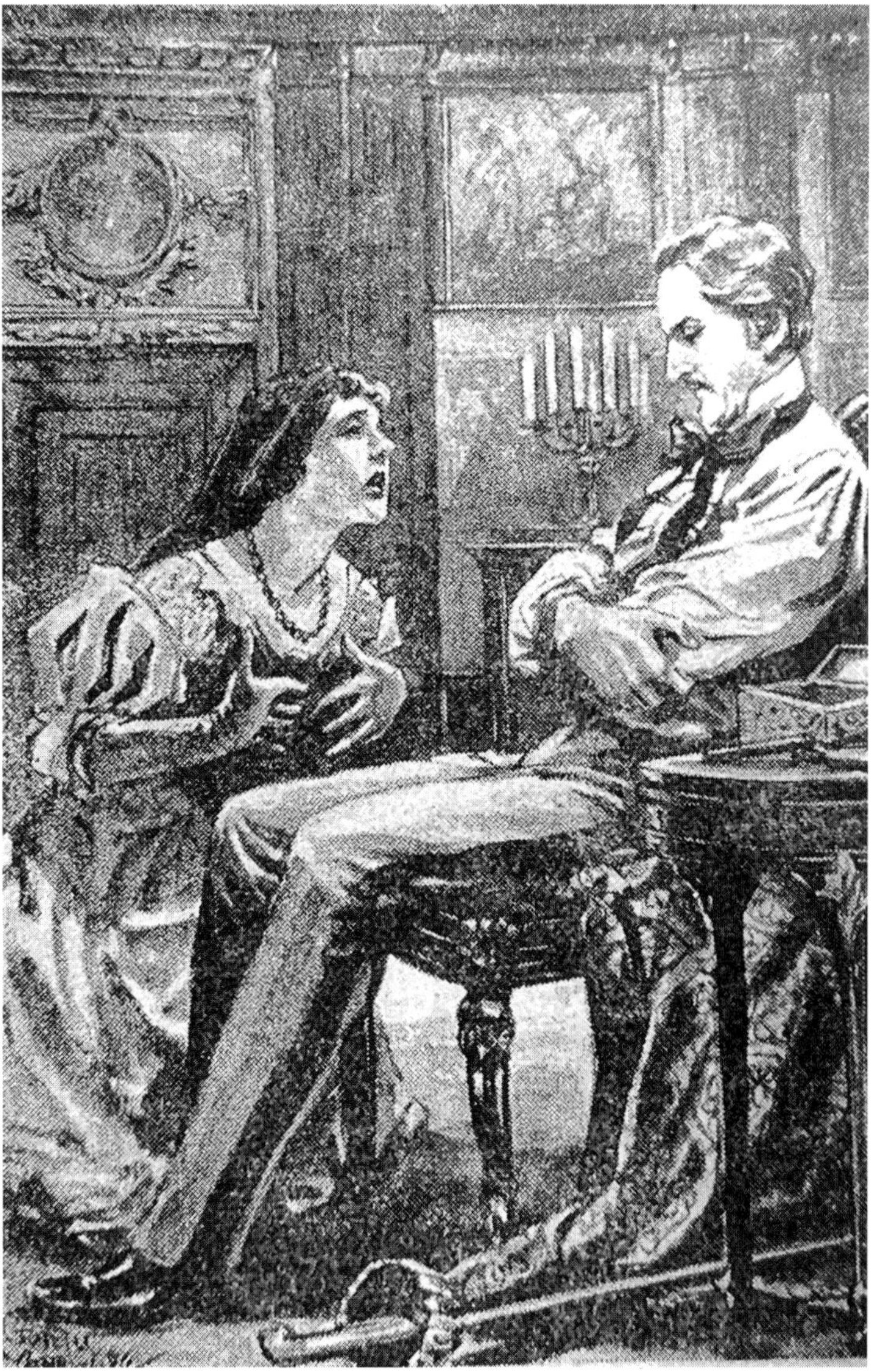

挿絵・梁川剛一
やながわごういち

師は秘宝を探り当てることであり（じっさい法師の死に際の言葉は「モンテ・クリスト島を忘れるな！」であった）、②ダンテスは復讐を果たすことであった。このあとダンテスは宝をわがものとするが、それは復讐を果たすための手段となるのであって、目的ではない。じっさいアルベールとの決闘前に伯爵は、全財産をエデやマクシミリヤン（ダンテスの元主人モレルの子）らに分けるよう遺言を残しているからである。

復讐に対する主の見方

さて読者としては、法師が復讐そのものをどう考えていたかが気になるところである。原典では、ラストでそれを明かしている。

二人への復讐を果たしたあと伯爵は、もう一度牢獄を訪れる。それは、ヴォルテールの子まで巻き添えにしたことで、己の行為を懐疑し始めたからであり、復讐は是か非かという迷いをぬぐう手掛かりを求めてのものであった。

こうして彼は、苦しかった過去の遺跡を巡ったあと、法師の遺した一大論文を手にする。その題辞には、次のようにあった。

《主曰く、汝は竜の牙をも引きぬくべく、足下に獅子をも踏みにじるべし。》

伯爵は狂喜する。復讐は是と解釈されたからである。すなわち、獄内での法師の復讐行為への難色は、ダンテスが殺戮を前提としているから、と捉えたゆえのものであった。

そしてダンテスは、自らはまったく手を下すことなく目的を果たした——つまり、殺戮を禁じた法師の戒律を守りつつ復讐を遂げ得た、という見事な結末を迎えたわけである。

この最終部分、《文庫》は原典どおりであるが、《全集》は載せていない。その理由は不明だが、ここがないと伯爵は復讐の是非はつかぬままであったといえる。しかしそのことは、子アルベールの命乞いを成就させた母メルセデスの母性の大きさ、つまり憎しみに対する人間愛の勝利——ひいては後述する復讐を乗り越えた許し——を相対的に高める結果をもたらしているといえないだろうか。

聖書における復讐の見解

しかし、やはり問題は残る。

前出の、エデが議場でモルセールの過去を暴く場面で、自分はキリスト教徒なのに復讐する、これは主の許しを得なければ、というところである。つまり復讐行為は、法師は是としたとしても、主キリストに対してはどうなのか、という問題なのである。

ここで聖書の原文にあたってみよう。実は聖書でも、復讐についての見解は一定していないようである。

血の復讐をする者は、自分でその殺害者を殺すことができる。彼と出会うとき、自分で殺すことができる。（民三五：一九）／血の復讐をする者が逃れの町の境の外でこれと出会い、血の復讐をする者が、人を殺した者を殺したとしても、彼には血を流した罪はない。（同二七）復讐する者が激昂して人を殺した者を追跡し…追いついて彼を打ち殺すことはあってはならない。その人は、積年の恨みによって殺したのではないから、殺される理由はない。（申一九・六）／その犯人を出した町の長老たちは…復讐する者の手に引き渡して殺させねばならない。（同一二）／…誤って人を殺した者がそこに逃げ込めるようにしなさい。そこは、血の復讐をする者からの逃れの場所になる。（ヨシュ二〇：三）／たとえ血の復讐をする者が追って来ても、殺害者を引き渡してはならない。…（同五）

このように旧約時代には、同害報復説が一般的であった。しかし、民三五：一一〈逃れの町〉では「自分たちのために幾つかの町を選んで逃れの町とし、誤って人を殺した者が逃げ込むことができるようにしなさい。」と、無差別復讐の習慣を修正して規定している。

一方、詩篇九四：一では「主よ、報復の神として顕現し…誇る者を罰してください。」

とあり、これはパウロの「『復讐はわたしのすること、わたしが報復する』と主は言われる」（ロマ一二：一九）、「主はその民を裁かれる」（ヘブ一〇：三〇）などに引用される。またモーセの律法には、「復讐してはならない。民の人々に恨みを抱いてはならない。」（レビ記一九：一八）という教えもあり、イエスの敵を愛する新しい律法への示唆も見られる、ということである。（以上、『新共同訳聖書：聖書辞典』より）

こうみるとエデの言葉は、上記の新しい教えによったものかと思われる。エデの復讐に対して、ダンテスはコメントしていない。エデの復讐は、あくまでもダンテスの復讐の対象たるモルセールを追い詰めるための代行の形をとっている。従って、主イエスに対してはどうなのか、という問題は極められていないのである。物語としては、ダンテスと法師との関係は首尾相応していても、読者としてはこの問題は残されたまま、というべきだろう。

（この物語は後述するように、復讐行為の是非を吟味しているものと見るだけに、ここであえて一節をさいた次第である。）

少年文学としての問題の扱い

さて以上のことを踏まえ、わが少年向けの読み物としての扱い方を考えよう。

その場合まず抑えるべきは、何よりも面白さが第一義ということ、つまりストーリーそのものに引きつけることである。すなわちダンテスが脱獄して以後、いかに投獄に及んだ者たちに復讐を進めていくかの展開に興味を注がせることである。

ということであれば、上に抑えたような復讐への逡巡は抑えられることになろう。具体的にみれば、まず《文庫》では、人殺しは罪だということは先に述べた。そしてこの次第を解き明かされ、復讐心が芽生えたダンテスを見て法師は悔やむが、話題を変えられ、復讐の是非論は立ち消えになること、原典どおりである。

次いでエデの暴露の場面だが、原典にある前引「神の許し」の文言は、前述したように《全集》にも《文庫》にも省かれている。さらに《全集》では、メルセデスによるわが子の命乞いに伯爵が屈するところはあるが、彼の牢獄再訪の場面はない。

どだい復讐というものが果たされたとしても、それは心の平安につながるかといえば、先に引いた伯爵の言葉どおり、100%の復讐完遂は、当人が負った傷と同等のものを遂げなければ無意味であろう。じっさいダンテスは、物語終盤で復讐行為の正当性をたどり直している。このように見てくるとこの長篇小説は、復讐行為の正当性を問い、それを執拗に吟味していることが改めて確認されるのである。

ここでわれわれは、次のことを注視したい。第二篇の最後で、伯爵は「私も許しを乞わねばならぬ人間だ」と言って、ダングラールを野に放っているところである。つまり人間の再生への転換は、復讐を乗り越えた「許し」がなければ果たせないということであろう。これは、人をあやめることは人間の本性にもとるもの、とする第一篇で展開された事柄に照応するもので、この結びは少年ものの主旨としてもふさわしいといえよう。

＊

最後に改めて、少年ものとしての『巌窟王』の、原典と比べた特色をまとめると——

原典では、復讐は是か非かの難題を（特に神との関係で）問い続けるのに、少年ものはそれを弱めている。それは、主人公が投獄した相手にいかに復讐していくか、また、法師の明かした宝探しがはたして成功するか、というストーリーに興味を集中させることで、面白さを主眼とする少年ものの本旨からして当を得た措置であったといえよう。

次に、殺戮は避けるべきという法師の説諭自体は三本とも触れているが、原典では、血を厭わぬ野獣とこれを忌む人間と比較していて、これが一番分かりやすい。だが、《文庫》は「人の生命をほろぼしたくない」とだけであるのに対し、《全集》は血を忌むのは人間の本性であることを「真心」と言い換えている。これは、原典の頭と心の違いに及んでいるところの「心」に当たる。これこそ、面白さを追う一方で、年少者の情操を養うことに力与った《全集》の役割に価したものとみなされよう。

『ああ無情』
動乱期に揺れ動いた人間のドラマ

ユゴー

およそ人間として生まれて以降、誰しも《世の不条理》を感じないではいられないであろう。それは一つには〈社会の構造〉に対してであり、もう一つにはそこに関わる〈人間の在り方〉に対してである。

一九世紀半ば、フランス革命という未曾有の揺籃期に遭遇した青年ユゴーは、その大問題に立ち向かうべく邁進していった。社会構造に対しては、政治に身を投じて当時の体制に砕身し、人間存在に対しては、追放された孤島においてとことん追究していった。それらを物語に反映したのが『レ・ミゼラブル』(一八六二年)である。

ではじっさいには、それらの問題をどのように追究していったのか、以下しばらく《原典》に即してたどってみたい。(本話は《文庫》では「ジャン・ヴァルジャン物語」と改題している。その内容は、改題通りジャン・ヴァルジャン関連の話を抽出し、直接関連のない歴史的記述や原著者の議論は割愛している。そのうえで、上下二巻と年少者向けの分量に収めている。つまり内容は原典のダイジェスト版なので、ここでは原典の岩波文庫本を比較の対象とした。)

原典の内容と原作者の意図

(1) 社会・人間の不条理の告発

本話の主人公ジャン・ヴァルジャンは、一九年間もの間投獄されていた。そのわけは一家の飢えを満たすため、一片のパンを盗み出したためであった。その刑は5年の懲役だったが、残された子が心配で何度も脱獄を試み、そのために長い刑期に及んだのである。作者はここで、刑罰は人を野獣・狂暴に化すものであり、「徒刑場は囚人をつくる」と刑罰論を展開し、そうした苛酷な人生は、寛容と親切に救われる、とする。

《原典》では、初めにミリエル司教の人となりが詳述されるが、このなかで彼がはじめて断頭台を実見した衝撃を記し、それは「人を呑みつくし、肉を食い、血をすする」「一種の悪鬼」であり、「死は神の手にのみあるもの」なのに、人間は反神的な凶器を造ったと批判する。

次に《原典》ではファンテーヌの半生に筆を移す。彼女は女工であったが、働き過ぎて病に倒れてしまい、その娘コゼットを宿屋を営むテナルディエ夫婦に預けた。しかし強欲者の夫婦から養育費を送れと督促が続き、必死で送金したがそれでも足らず、ついに売笑婦となった。このことを《原典》作者は「社会が一人の女奴隷を買い入れた」、すなわち一片のパンと一つの魂とを交換したとする。さらに、奴隷制度は男子の恥辱である、と告発している。

さてその後（行方をくらましていたが）ジャン・ヴァルジャンは、ノワルティエ夫婦からコゼットを連れ出し、ジャンを追うジャヴェル警部を逃れて修道院に逃げ込む。そこはベルナール派修道女らの所であったが、《原典》作者はその内部の陰惨で厳格を究めた有様を延々と考究する。そして、隔離生活を旨とする修道生活は、至福を目的としながら極度の自己棄却を強いているとし、彼女らの、震えおののきながら信仰に没している姿に同情を惜しまない。ここでは崇高とされる目的のために、身柄を拘束される修道制度の不条理が告発されているのである。

（2）不条理に対抗する闘いへの鼓舞

さて物語は、青年マリウスの動向に入る。王党派の祖父と袂を分かった革命派の彼は、弁護士を志す貧しい身だが、彼の住む部屋の隣室（そこにはテナルディエ一家がいた）を覗き、その困窮ぶりに愕然とする。ここで作者は貧困と困窮を極めた末、人間は悪徳や罪悪、堕落に陥ること。そして性、血縁、年齢の別なくよりあって、悲惨な運命体の中に共存すべきことを説き、隣家に耳を傾けるマリウスを通じて、人は慈愛を与えるべきである、としている。

さて、世が革命前夜の騒然とするなか、群集に入ったジャン・ヴァルジャンは、革命にうかれる戦士たちに説諭する。お前らは怠惰のままでいるが、労働は天の法則だ。何もないこと自体を目的とすると、いざ何かをすることが苦痛となる。社会の寄食者は有害な寄生虫だ、と。ここでは変革の理想を追うには、地に足のついた身体をもってしなければ空論に終わることを警告しており、今日に通じるものがあるといえよう。

さらに《原典》は、なぜに暴動が起きるかを究めるべく、長大な暴動論を展開する。暴動は激発であり、なんらかの反抗心を懐く者は皆それに加わり群集となる。しかし政府権力を転覆できない民衆はかえって鍛えられ、さらに強大になり得るものだ、と指摘する。

さらに筆は内乱論に進む。ユゴーによれば、世には外乱も内乱もなく、ただ不正の戦いと正義のそれがあるのみだという。具体的には、専制が精神的な国境を侵すとき、民衆は単なる抗議だけでは足りず、体制の破壊へ移る。翻って社会的な真理を打ちたて、人類を正当な権利の水準に戻すという場合、これは平和を確立する偉大な戦いであるとして、マリウスの行動を正当化している。

このように至るところで世の不条理にいらだちをぶつけてきた作者は、最後に市街戦の終焉に当たって、以下のように記して締め括る。

反乱にもえた民衆は結局なぎ倒され見捨てられるが、ユゴーはその多くは時機が早すぎたからであるとし、次のようにいう。——運動の中絶は眠りであり、死ではない。絶望するのは誤りで、進歩は必ず目をさまし、再び立ち上がったときは前進・成長している。一時の不成功・敗北は、荘厳さ崇高さを持ち、民衆の心を動かす。国民が反乱を厭うのは、それが破滅に終わりがちで抽象的だからである。しかし悪政を射る反乱の目標は、主権・正義・真理の回復であり、これは高いところに存在する。同志は常に少数であり、対する敵には膨大な軍隊がいるために、闘いはしばしば失敗する。しかしこれは理想を高める一つの痙攣であり、劇中の幕間に必ず起こる局面である。闘いは、不正から正へ、偽から真へ、絶望から良心へ、地獄から天へ、無から神への行進であるのだ——と。

このようにユゴーは、世のあらゆる不条理に対抗する闘いの行末をみつめ、それへの進捗を鼓舞してやまないのである。

（３）不条理を克服する人間愛

さて、このように作者は世の不条理の数々を例示していったのだが、ではこれらを、彼はどのようにすれば克服し得ると考えているのだろうか。またそれらは上の問題と充分かみ合っているだろうか。これらを本文に即して考えてみたい。

フランスにおいて文字通りの旗印である自由・平等をないがしろにする勢力に抵抗する一つを革命とするなら、その一方に並ぶのは原作者によれば、慈悲と博愛であった。これを手掛かりとして、本話の人物がどのように造型されているかを見ていこう。

その最も重要な一人であるミリエル司教の人となりを、作者は物語の冒頭におき、詳しく述べていく。彼の生涯の前半は社交と情事に費やされたが、そのうち革命となって法曹関係の家柄は分散・零落し、彼は牧師となっていった。

司教となってからのミリエルは、衣食住すべてにわたり質素そのもので、人々には寛容をもって施しをつくし、それはイエス・キリストに似たものであった。彼がその慈悲深さを最も発揮したのは、ジャン・ヴァルジャンに対してであった。その態度は少しも説教臭くなく、罪悪をもつ者のみじめさを想起させることなしに、普通の待遇に徹していたという。司教の妹によれば、そうした相手の痛みにふれぬ思いやりの深さこそ慈悲の本質をよく了解したものではないか、ということであった。

こうした司教であるから、ジャンの疑り深い物言いをいなし、挙句、彼が盗んだとされた銀の燭台まで与え、「あなたの魂はもう悪のものではなく、私があがなうのはあなたの魂だ」として放免するのである。

ここでミリエルの言葉に目を向けたい。器が盗まれたと叫ぶ召使に対し、彼はそもそもあれは自分たちのものでなく、貧しい人たちのものではないか、という。「盗み」に対し「授与」を対置し、器は「盗んだ」ものでなく、正直な人間になるために使うものだ、というのである。

このような司教の言動は、世の常識をくつがえすものであった。これによってジャンの心がどう変化したかを物語はつぶさにたどっている。このような、人間の固定した思考を突き動かす働きによって、世に満ちた悪徳は融解できるというのが、原作者ユゴーの思考と見られるのである。

そしてこの思考を引き継いだのが、ジャン・ヴァルジャンのジャヴェルに対しての行為であった。ジャヴェルは、自分の道を選ぶにあたり、自身の厳格・規律・清廉の気性から、また浮浪階級への憎悪から警察に入って成功し、警視になった。

その性情は、国家の職務への盲目的信用、善政と反逆への憎悪で成り立っていた。いつも絶対的であり、例外を認めなかった。「職務者は謝らず。役人は不正をせず」とする一方で、罪人に救済の途はなく、善を成し得ないと考えた。人間の作った法則は、刑罰を定める権利を持ち、社会の底に地獄のあることを認めた。禁欲で真面目で厳格であり、謙遜かつ傲慢であった。自らに厳格な義務を課し、献身的な警官、無慈悲な間諜、正直・冷酷な探偵で、人間らしいのは喫煙のみというものであった。

そうしたジャヴェルが、刑期を終えて赦免されたものの、その後司教からの窃盗、少年からの強奪のため、終生追われる身となったジャン・ヴァルジャンに目をつけたのは当然であった。彼はジャンの足跡を探るが、突き止めかねていた。しかも、ジャンと思しきマドレーヌ市長の自然さと落ち着きには、むしろ心を惑わされたこともあったという。

その彼ジャヴェルが動揺した最初は、ファンテーヌをめぐる事件であった。彼は彼女が男を侮辱したかどで告発した。当然彼女は弁明するが、彼には通じない。先述の論理から、一売春婦が一市民に害を加えたとみるのは当然であった。その彼に、一部始終を見て取った市長からの彼女を放免せよとの命令は打撃だった。彼は抗弁するが、市長は市内警察の判事として譲らなかった。

この一件は、先述のような信奉者のジャヴェルという人間が突き動かされた最初であった。しかしここでは彼はまだ、かねての疑惑でジャンを告発しようとまでしていたので、まだその信条は不変であった。しかしその彼が、その信条を決定的に崩壊させられるのは終盤である。

＊

市街戦の中で、市民の挙動を監視すべく入り込んだジャヴェルは、若者たちに気付かれ縛り上げられてしまう。まさに射殺されるというとき、ジャン・ヴァルジャンにその身を預けられる。二人きりになったとき、ジャンは彼の縛りを解き、「君はこれで自由だ」という。今までの恨みを晴らす好機だろうと覚悟していたジャヴェルは茫然とする。「君は俺の心を苦しめる。いっそ殺してくれ」とうめくが、ジャンは応じなかった。

激しい戦闘後、仲間はすべて殺されるが、マリウスはジャン・ヴァルジャンによって下水道の中を運ばれていく。ようやく地上に出たもののそこにはジャヴェルがいた。しかしもはや彼は、かつての人間ではなかった。ジャンが防塞からここまで運んだことを知って、ジャヴェルはジャンの頼みを聞き入れ、マリウスを自宅に戻して立ち去る。

そしてジャヴェルは物思いに沈む。生涯一直線にたどってきた思考は分裂していた。ジャンがジャヴェルを赦し、ジャヴェルがまたジャンを赦したという事実。私事のために公務を犠牲にしたという現実。下獄させるべきものをとどめる何者かの存在。法を超越するに至ったこれらの異常事に困惑したのである。

総じてジャン・ヴァルジャンの寛容は、ジャヴェルを支えていた全定理を崩した。悪敵・憎悪・復讐に対し、救助・許容・憐憫をこととする怪物が世に存在すること。一点の非もないはずの理念と裏腹に、人間的で偉大で崇高であるという例外的な存在を彼は認めざるを得なかったのである。さらにジャヴェルは、自身がなぜそうなったかの説明がつかなかった。義務とか秩序以上の何かの存在、上官に変わる上位の存在を感得して心が乱れた。そして監視という役割を違反した事実の前に、自分の存在理由は失われ、自身は消滅・死滅するしかないことに思い至る。こうした煩悶・幻覚のなかで彼は自滅し、入水していく。
以上の長い叙述のなかで、原作者ユゴーは、国王・政府・官省・官憲等の公権力による大権・嫌疑・抑圧等々に対し、神のもつ親切・献身・慈悲・寛容・憐憫こそが、それらを覆い溶解することを説くのである。

＊

以上物語は、不条理・不正の数々を全篇にわたって述べきたっているが、これらはすべて人間のなせる業であることは自明であり、これを破砕させるのには慈愛をもってである、とする。頑なな思考に縛られたジャヴェルの冷徹さも、ミリエルの教示に基づいた博愛・人間愛をもってすれば氷解していくことを、ユゴーは、ジャヴェルとジャン・ヴァルジャンの関係に結び付けて教示しているのである。

《全集》の採った方法

（1）池田の意図と方法

さてこのようなテーマをもつ原作に対し、《全集》（著：池田宣政）はどのように記述しているだろうか。

《全集》のスタンスを窺うには、(『宝島』同様) 序文が手っ取り早い。著者池田は「これは…愛の真心と気高い信仰、たくましい勇気と尊い正義の力のこもった物語」であり、何度も読み返すうち「ジャン・ヴァルジャンの美しい愛の真心と、強い正義のもえる勇気と尊い信仰の魂に感激」したという。そして主人公は「愛と正義の実行者」であり、「大岩のごときたくましい力に満ち満ちた人間だった」とする。

ここには、物語の背景をなす壮大な動乱については特に触れられていない。では世の不条理についてはどこにあるかというに、それは本文前の「この物語のおもな人々」の欄に明らかである。すなわちジャン・ヴァルジャンが強いられた獄刑という制度であり、前科者の彼を冷遇する世間の非情さ、極度に働かされるコゼットのような辛苦、ジャヴェルのような執念深さ、等々の人間の性情に対してである (これは原著名『レ・ミゼラブル』が「惨めな人たち」であることと軌を一にする)。これらの規定によって窺えることは、世の不条理に直截に対処できるものは、博愛、真心にほかならないということである。

しかし《全集》が博愛と必ず並べているのは、正義である。そしてそれを遂行するための勇気・豪気、不屈性、犠牲心、たくましさを強調している。つまり《全集》において、原作のテーマ—世の不条理—に添ったものをたどれば、世の非情さに対しては博愛を、不正義に対しては、不屈と勇気をもって抗するのだ、ということになろう。

ところで、こうした世の非情を溶解させる博愛と平行して、正義を貫く勇気・豪気を置くところは、まさに著者の面目躍如たるところであろう。彼は池田宣政の名で、感激をよぶ偉人伝、熱血あふれる美談を書く一方、南洋一郎の名で、血湧き肉躍る冒険小説をも数多くものしているからである。

彼は二つのペンネームを、こうした内容に応じて使い分けているのだが、《全集》では第Ⅰ期の刊行分だけに限っても、二つの名が担われ、第一巻「ああ無情」は池田、第十巻「ロビンソン漂流記」は南であり、彼の精力ぶりをうかがわせる。

（２）《全集》記述の実際――冒険と人間愛

さてこれまで《原典》で押さえた物語のポイントが、《全集》本文ではどのようになっているかを、両者比較しながら追っていこう。

まず第一編「ミリエル司教」で、ジャン・ヴァルジャンがミリエル司教と出会うまでであるが、出獄した彼に世間の非情さが綴られるところは《原典》と同様である。しかし、彼に救いの手をのべる司教の人となりの記述は簡略である。

これに比べて《原典》では、ジャン・ヴァルジャンの犯罪は貧しさがその真因であるとし、司教は政治から距離を置き、信仰の面で過度の愛を有していたこと。青壮年時の熱情・激越な性情は次第に温和となり、その性向は善良な思想と言葉と行為で満たされていたこと。世界は慰謝を求め、悲哀に沈む広大な病と見られたが、彼はその病熱・苦悩の謎を解こうとはせず、傷口に包帯しようとしたこと。そして〝汝ら互いに愛せよ〟のみが彼の教理であった、とする。

ある人は「世界は皆戦っており、強い者が知力を持っている。互いに愛せよなどとは愚かだ」というが、司教は「魂は貝殻中の真珠のように閉じ込めておかねばならない。自分は世の不可解・陰惨な問題は傍らに捨てた」というのである。

このように《原典》での司教の生き方は、神のしもべとして徹底した慈愛を旨とするもので、その結果、彼が神に仕える身になったと説く。これに対し《全集》での司教については、そうした遍歴は一切出しておらず、それだけに神秘的な存在に見えるのである。

さて司教から銀の燭台を与えられたジャン・ヴァルジャンは茫然とし、その後でさらにまた、一少年の落とした銀貨を奪った自分にも愕然とする。《原典》ではその心のゆれをつぶさにたどっていくのだが、《全集》では一少年の挿話はなく、幻影に現れた司教の慈悲に打たれて真人間になることを誓い、大地にひれ伏している。ここでは先述のように、高潔な慈愛により悪心も払拭されることが感動的に描かれるのである。

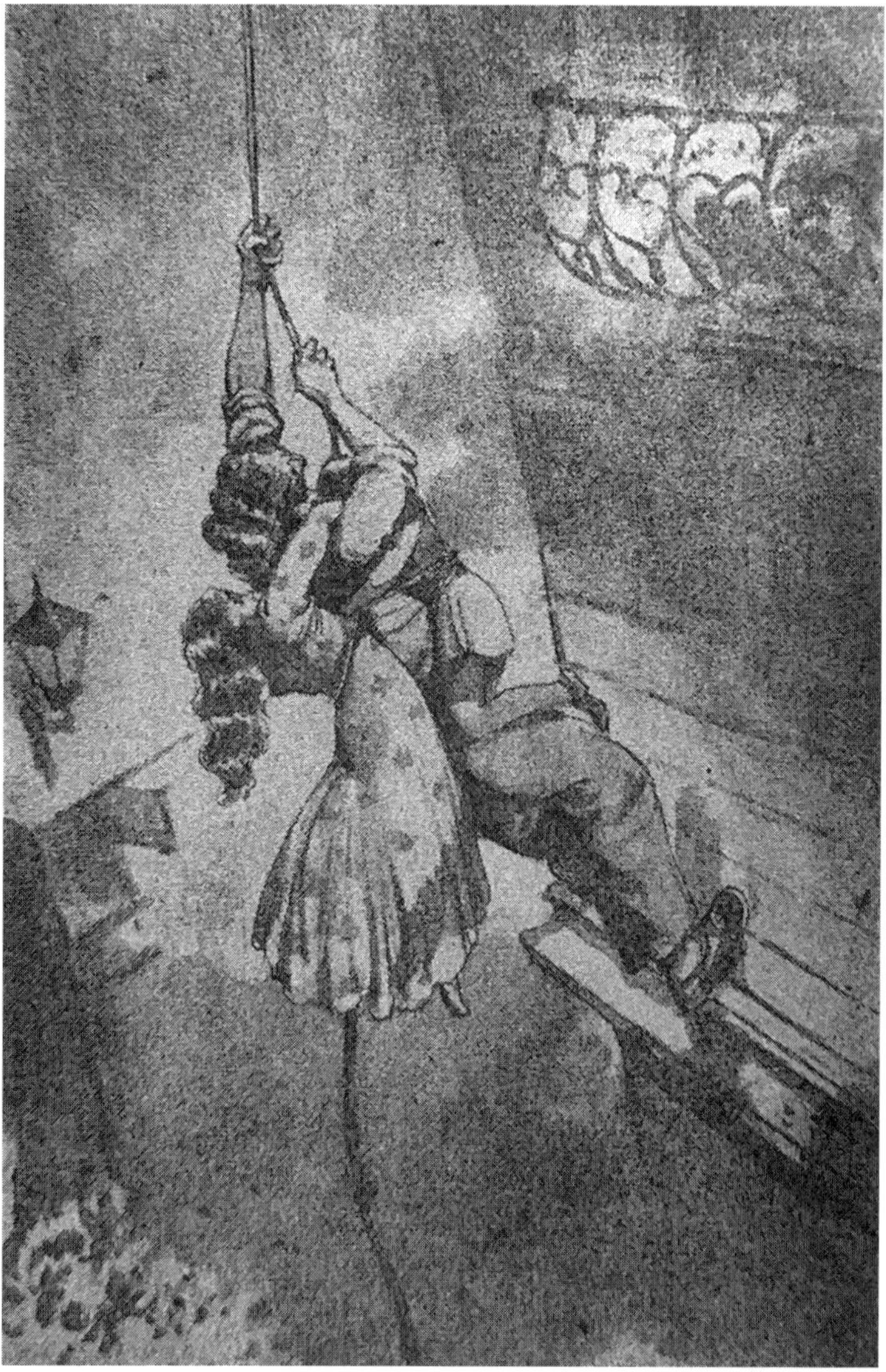

挿絵・吉邨二郎
よしむらじろう

さて一八一五年、ある町の憲兵隊の役所の火災現場で、ジャン・ヴァルジャンは姿を現す。彼は猛火に包まれたなかをかいくぐって、建物に残された子ども二人を背と胸にひもでくくり、三階の窓から縄を伝って降りていく。

ここは原作では、ごくあっさりと記されているのだが、《全集》では以下のように増幅している。

黒煙が窓からもうもうと流れ出した。それにつつまれたジャン・ヴァルジャンが、手ばやく縄のはしを窓わくの鉄輪にむすびつけると、残りの縄をさっと投げおろした。長い麻縄がするすると地上までのびた。それをしっかと両手でにぎり、両足をはめにかけておりはじめた。なんともたとえようのない冒険である。縄が焼き切れたららどうなるのだ。下からふきあげる火になめられたら、全身は焼けただれてしまうだろう。かれのからだは煙につつまれた。もじゃもじゃのほおひげも髪の毛もじりじりとこげていった。大きな大きな愛のために猛火とたたかうその姿は、荘厳ともなんともたとえようがない。……

これは本話を一大冒険物語とし、ジャン・ヴァルジャンをその中心として雄々しく造型しようとしていることが明白であり、南洋一郎としての筆が面目躍如としている。ちなみに『少年クラブ』における本書の宣伝では、この場面の文章を引きつつ、（《全集》とは別の）大きな図入りで紹介していた（筆者はこの広告にすっかり興奮させられたのである）。

こうして町中の信頼を集めたジャン・ヴァルジャンは事業を手がけて成功をおさめ、それによって得た莫大な資産を慈善に施したので、人々の評判は高まった。

しかしそうした彼を、町に赴任してきた警視ジャヴェルは、前科者のジャン・ヴァルジャンではないかとうたぐる。《原典》ではこのジャヴェルの思考過程を冷徹に分析するが、《全集》では非人情の権化とする。つまり、ジャン・ヴァルジャンとジャヴェルを、善と悪の二項対立と規定するので、明快ではあるが紋切り型の憾みなしとしない。

ジャヴェルが彼への疑いを確信したのは、重い車の下敷きになったフォーシュルバン老人を怪力で持ち上げ、救い出した現場を見たときであった。《原典》では、この車を持ち上げるのはただ一人の囚人しかいない、というジャヴェルの言葉にジャンは内心たじろぎつつも、救助を敢行する彼の姿を描く。

しかし《全集》でのジャン・ヴァルジャンは、過去が明らかになるのを恐れるも、人命を救う司教の教えを優先させるべく挺身する心の動きを追い、「なんという大きな愛の真心であろう」と池田の言葉を入れる。これにより読者は、深い感動に引き入れられるのである。

こうした善行でジャン・ヴァルジャンは、ついに市長にまで推された。ここで《全集》は、地位の逆転にいらだつジャヴェルを描く。けれどもジャンは、ついにジャヴェルに身をさらす。それは思いもよらぬ別人のジャン・ヴァルジャンが現れたからで、その男を終身懲役から救うために、意を決して裁判長の前で自ら名乗り出たからである。こうしてジャンは再び囚われの身となったが、しかし病院で息絶えたファンテーヌのためコゼットを救い出さねばならなかった。

第二編「少女コゼット」は、人知れず脱獄したジャン・ヴァルジャンとコゼットの逃避行である。テナルディエ夫婦の宿屋で、ジャンがコゼットが編まされている靴下を買い上げ、高価な人形をプレゼントするところは両本とも同じであるが、《全集》の描き方は一段と情緒たっぷりで、読者の涙を誘っている。

このテナルディエ夫婦から大金をはたいてコゼットを連れ出し、パリのアパートの一室にひっそりと暮らした二人だったが、ここもジャヴェルに嗅ぎつかれ、必死の逃避行となる。さて逃げ込んだ修道院には、かつて命を助けた老人がおり、その縁でしばらく働くが、やがてそこからもコゼットを連れて抜け出し、町はずれに身をひそめた。

一方、世間は一八三二年六月初めのこと、王党を倒して新しい共和党政府を打ち立てようとの動乱が拡がっていた。その共和党グループの一人マリウスとコゼットはひかれあう。苦学生マリウスは父の勲功を知るが、その父を戦場から救ったのが、隣室に住む一家の主テナルディエと知った時の驚きと悩み、しかもそこにコゼットを連れたジャン・ヴァルジャンが現れたときの喜び。テナルディエは仲間とジャンを討とうとするが、それをつきとめたジャヴェルに助力をこわれたマリウスは、股裂状態に陥る。

だが豪胆なジャン・ヴァルジャンは一味をものともせず、その場面でも《全集》はジャンへの賛美を忘れない。そこへジャヴェルが踏み込んで一味をとらえる間に、ジャンは逃避する。

（3）愛の使徒としてのジャン・ヴァルジャン

第三編の表記は右記のようにあることでも、作者池田の意図は明白であろう。見るべきはその「愛の使徒」としてのジャンが、動乱の渦中に入ったところでどう動いていくかである。

ジャンとコゼットの平和な日常が最初に乱されるのは、散歩の途上に出会った懲役人の群れであった。《原典》は、ここを文庫本で一〇頁にわたって詳述する。コゼットは引かれ行く囚人を「あれでも人間か」、「徒刑場とはどんな所か」と問う。《原典》はそれ以上深入りしないが、柔かい乙女の心に別世界のあることを植え付けたことで、革命家マリウスへの橋渡しの一端とする。だが《全集》のコゼットは、彼らを恐れてジャンにしがみつくのみである。そしてジャンは、あのような捕縛をさける意味で、コゼットとマリウスとの結びつきを念願する方向へ筆を向けている。

一時沈静化しても、再び革命の勃発が予感される状況のなか、《全集》はその渦中にいるマリウスとそれを見つけるコゼットの、あくまでも二人に焦点を当てる。そしてジャン・ヴァルジャンは、そのマリウスを守るため家を出た、とするのである。一方、《原典》でのジャン・ヴァルジャンは町でテナルディエを見かけたため、動乱のパリでは身の安全が危いとイギリスに出立する決心をするが、マリウスには触れていない。

こうしてジャン・ヴァルジャンが家を出た町の中では、マリウスら革命戦士がジャヴェルを捕らえていた。そしてその身は、遭遇したジャンに任される。ジャヴェルは一思いに殺されると思いきや、ジャンは彼の縄を解く。彼を苦しめたくはなく自由にしてやりたい、とのジャンの言葉にジャヴェルはとまどう。

ジャヴェル警視はうなだれた。そのするどい目がうるんだ。つめたい鉄のような心も、大きなあたたかい愛のことばにとけていった。「…おれが悪かった。…ああ、おれは情というものを持っていなかった。…」

こうしたジャヴェルの翻意のさまは、児童文学の常道の一つだろう。対するジャン・ヴァルジャンの心中は《原典》ではまったく触れていないが、《全集》はここでもミリエル司教の教えを出している。

結局革命戦士は全滅するが、そこから負傷したマリウスを担いだジャン・ヴァルジャンの苦しい道行きとなる。たどり着いた出口も塞がれていたが、そこに現れたテナルディエとの取引で二人は地上に出られた。しかしそこには、あのジャヴェルがいた。ジャンは自分を捕らえるのは、マリウスを送り届けてからと頼む。するとジャヴェルは、先に助けられた恩義があるとして馬車を呼ぶ。《全集》は、ここで両者が手を握り合い許し合うのだが、このようなところもむろん《原典》にはない。

馬車が去った後、《全集》のジャヴェルは、愛の真心の尊さ、美しさに引き換え、自分の冷たい氷のような心が恥ずかしいとして入水し、これを「男らしいざんげの最期」としている。

冒険を経ての慈愛の勝利

こうした《全集》の倫理的・情緒的叙述が、どこまでも冷徹でさめた分析に徹した《原典》とあまりにも対照的なことはいうをまたない。しかし末尾の、慈愛こそ無慈悲で厳格な心を和らげるという一文は、原作者ユゴーの主張をまっすぐに伝えるものだろう。ただ《原典》が、慈愛のはたす溶解力は、世の不条理全般を対象としているのに対し、《全集》は、これをどこまでも人間に向けていることが注意すべき相違点である。

《全集》はこのように、慈愛こそが世の不条理を融きほぐす決め手であるとの《原典》の主旨をそのまま伝えつつ、それを感動と冒険の一大絵巻としている。こうした『ああ無情』は、池田宣政＋南洋一郎の両特質を併せ持った少年文学の一典型といえよう。

あとがき

病身の父が最初に買ってくれた本は『青い鳥』だった。兄には『ロビンソン漂流記』で、その冒険談がどんなに面白いかを熱心に語っていた。幼年時の自分にはそれらの面白さはまだわからなかったが、美麗な装幀、また巻末の広告には目を引かれた。

当時、兄弟は『幼年クラブ』『少年クラブ』を愛読しており、また学校図書館には《世界名作全集》がずらりと並んでいて、われら世代にとって講談社の出版物は切り離し難い存在であった。それらに親しんだ書物の数々は、以後の自分を大きく形成した要素であったが、長ずるに従いこれらの作品を論評したいとの思いにかられ、ここに一書を目指した次第である。

しかし踏み出したものの手元の雑誌・書誌だけではどうしても遺漏の部分があり、これを埋めるべく、講談社の知人に依頼して書庫閲覧の機会を得た。そこで膨大な資料に目を奪われながらも、それは幸福なひと時であった。そこに再三便宜をはかって下さったT氏は有難い存在であった。

こうして脱稿にこぎつけたものの、折からの出版事情や私事の暗転から、日の目を見るまでに十年余の延期を余儀なくされた。しかしようやく出版プロデューサーの今井恒雄氏のご尽力、および在職時の先輩N氏のご助力により上梓にこぎつけ得たことは感慨にたえない。また草稿の段階で、すべてにわたり厳しくご批正を頂いたS社のY氏、発表の場を下さった日本児童文学学会の方々、そして出版を快諾された展望社の唐澤明義社長に感謝の意を表したい。

参考資料

底本

『少年クラブ』

「チャア公四分の一代記」1950（昭和 25）年 1~12 月

「大迷宮」1951（昭和 26）年 1~12 月

「魔女の洞窟」1950（昭和 25）年 5~12 月、1951（昭和 26）年 1~6 月

「緑の金字塔」1949（昭和 24）年 1~12 月、1950（昭和 25）年 3~12 月、1951（昭和 26）年 1~11 月

『世界名作全集』

「ああ無常」1960（昭和 35）年 5 月

「宝島」1960（昭和 35）年 6 月

「巌窟王」1958（昭和 33）年 1 月

「ロビンソン漂流記」1950（昭和 25）年 8 月

引用・参考文献

『子どもの本の事典』坪田・吉田・波多野・阪本・滑川・室伏編、第一法規、1969

『児童文学事典』日本児童文学学会編、+ 東京書籍、1988

『現代日本児童文学作家事典』日本児童文学者協会編、教育出版センター、1991

『少年倶楽部・少年クラブ総目次』黒古一夫監修、ゆまに書房、2008

〈日本児童文学大系〉㉙南・江戸川・海野集、ほるぷ出版、1977,1978

〈少年文学大系〉　③山中峯太郎、1991、⑨海野・会津集、三一書房 1987 ⑩戦時下少年小説集、1990、㉖少年翻訳小説集、1995（別巻）少年小説研究、1997

〈鑑賞 日本現代文学〉㉟児童文学、鳥越信編、1982

『少年倶楽部時代』加藤謙一、講談社、1968

『少年小説の系譜』二上洋一、幻影城、1978

『夢の王国』高橋康雄、講談社、1981

『昭和児童文学の研究』根本正義、高文堂、1984

『少年小説の世界』高橋康雄、角川書店、1986

『「家なき子」の旅』佐藤宗子、平凡社、1987

「ユリイカ」特集：江戸川乱歩、1987

「日本児童文学」特集：エンターテイメントの現在、1986

想田 正（そうだ ただし）
本名・川田正美。1944（昭和 19）年生まれ。法政大学文学部卒業。
出版社勤務を経てフリーの編集者、著述業。
著書『宇野功芳―人と批評』
『美空ひばりという生き方』（以上青弓社）
『歌でたどる昭和』（展望社）
『小田切秀雄研究』
『小田切秀雄の文学論争』（以上共著、菁柿堂）

少年文学再考――講談社文化を中心に

令和 5 年 3 月 13 日発行
著者 / 想田 正
発行者 / 唐澤明義
発行 / 株式会社展望社
〒 112-0002 東京都文京区小石川 3 - 1 - 7 エコービル 202
TEL:03-3814-1997 FAX:03-3814-3063
http://tembo-books.jp
印刷製本 / モリモト印刷株式会社

ISBN 978-4-88546-428-7 定価はカバーに表記

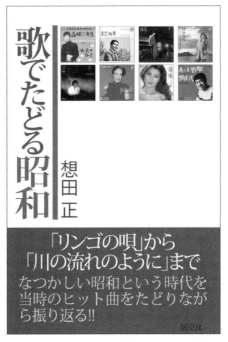